くもんの小学ドリル

がんばり2年生 学しゅう記ろくひょう

名前
なまえ

JN051818

1	2	3	4			8

9	10	11	12	13	14	15	16

17	18	19	20	21	22	23	24

25	26	27	28	29	30	31	32

33	34	35	36	37	38	39	40

41	42

1さつ ぜんぶ おわったら、
ここに 大きな シールを
はりましょう。

あなたは
「くもんの小学ドリル　算数　2年生文しょうだい」を、
さいごまで　やりとげました。
すばらしいです！
これからも　がんばってください。

1 1年生の ふくしゅう

月　日　名まえ

⏱ はじめ ≫	
じ	ふん
≫ おわり	
じ	ふん

むずかしさ
★

1 えんぴつを 3本 もって います。4本 あたらしく かうと, なん本に なりますか。
〔10点〕

しき

こたえ

2 みかんが 9こ あります。6人に 1こずつ くばると みかん は なんこ のこりますか。
〔10点〕

しき

こたえ

3 子どもが 7人, おとなが 5人 います。みんなで なん人 いますか。
〔10点〕

しき

こたえ

4 水そうに めだかが 18ぴき, きんぎょが 7ひき います。どち らが なんびき 多いですか。
〔10点〕

しき

こたえ 　　　　　　　　の ほうが 　　ぴき 多い。

5 白い がようしが 15まい, 赤い がようしが 4まい あります。 がようしは ぜんぶで なんまい ありますか。
〔10点〕

しき

こたえ

6 いろがみが 40まい ありました。おかあさんから あたらしく 20まい もらいました。いろがみは ぜんぶで なんまいに なりましたか。 〔10点〕

しき

こたえ

7 ひかるさんは おはじきを 70こ もって いました。そのうち，20こを いもうとに あげました。ひかるさんの おはじきは なんこに なりましたか。 〔10点〕

しき

こたえ

8 あめが 100こ あります。90人に 1こずつ くばると，あめは なんこ のこりますか。 〔10点〕

しき

こたえ

9 バスに おきゃくさんが 4人 のって いました。ていりゅうじょで，3人 のって きました。また，つぎの ていりゅうじょで 6人 のって きました。おきゃくさんは なん人に なりましたか。 〔10点〕

しき

こたえ

10 14人が たてに 1れつに ならんで います。さおりさんの うしろには，9人 います。さおりさんは まえから なんばんめですか。 〔10点〕

しき

こたえ

©くもん出版

1年生の ふくしゅうは できたかな。さあ，つぎからは 2年生の もんだいだ。がんばろう。

とくてん

てん

2

月　日　名まえ

1 みさきさんは, きのうまでに どうわの 本を 20ページ よみました。きょうは 30ページ よみました。これまでに ぜんぶで なんページ よんだ ことに なりますか。　　〔10点〕

しき

こたえ

2 はるとさんは おとうさんから 70円, おかあさんから 80円 もらいました。あわせて なん円 もらいましたか。　　〔10点〕

しき

こたえ

3 子どもが あつまって います。1年生は 18人 います。2年生 は 1年生より 3人 多いそうです。2年生は なん人 いますか。

〔10点〕

しき

こたえ

4 子どもが あつまって います。1年生は 21人 います。2年生 は 1年生より 3人 少ないそうです。2年生は なん人 いますか。

〔10点〕

しき

こたえ

5 ひろきさんは, いちごを 36こ つみました。あとから 8こ つみました。いちごを ぜんぶで なんこ つみましたか。　〔10点〕

しき

こたえ

©くもん出版

6 みずきさんは 25まいの はがきの うち 6まい つかいました。
はがきは なんまい のこって いますか。　〔10点〕

しき

こたえ

7 かきが 45こ ありました。きょう おとなりの いえから 8こ
いただきました。かきは ぜんぶで なんこに なりましたか。

〔10点〕

しき

こたえ

8 りんごが 43こ ありました。きょう おとなりの いえに 7こ
あげました。りんごは なんこに なりましたか。　〔10点〕

しき

こたえ

9 赤い きんぎょが 26ひき, くろい きんぎょが 7ひき います。
きんぎょは ぜんぶで なんびき いますか。　〔10点〕

しき

こたえ

10 ねこが 24ひき, いぬが 9ひき います。ねこは いぬより
なんびき 多いですか。　〔10点〕

しき

こたえ

たし算と ひき算の ちがいは わかったかな。もん
だいを よく よんで みよう。

とくてん　　てん

3 たし算と ひき算 ②

月　日　名まえ

はじめ >>
じ　ふん
>> おわり
じ　ふん

むずかしさ
★★

1　ななみさんは きのう つるを 15わ おりました。きょう また 17わ おりました。ぜんぶで なんわ おりましたか。　〔10点〕

しき

こたえ

2　たくみさんは いろがみを 26まい もって いました。きょう 17まい つかいました。いろがみは なんまい のこって いますか。　〔10点〕

しき

こたえ

3　いけの 中に あひるが 24わ います。いけの そとには 16わ います。あひるは ぜんぶで なんわ いますか。　〔10点〕

しき

こたえ

4　つとむさんの いえでは うしを 24とう，うまを 18とう かって います。うしと うまの ちがいは なんとうですか。〔10点〕

しき

こたえ

5　えんぴつを ひとりに 1本ずつ 38人に くばりました。えんぴつは まだ 14本 のこって います。えんぴつは ぜんぶで なん本 ありましたか。　〔10点〕

しき

こたえ

6 ノートが 35さつ あります。子どもは 40人 います。ひとり に ノートを 1さつずつ くばります。ノートは なんさつ たり ないですか。 〔10点〕

しき

こたえ

7 子どもが 36人 います。みかんを ひとりに 1こずつ くばり ます。みかんは 28こ あります。みかんは なんこ たりないです か。 〔10点〕

しき

こたえ

8 ボールが なんこか あります。65こを はこに 入れましたが, 35こ のこって います。ボールは ぜんぶで なんこですか。 〔10点〕

しき

こたえ

9 たまごが 32こ あります。そのうち はこに 入って いる たまごは 18こです。はこに 入って いない たまごは なんこで すか。 〔10点〕

しき

こたえ

10 いろがみを ひとりに 1まいずつ くばって います。いままで に 46人に くばりました。いろがみは あと 77まい のこって います。いろがみは ぜんぶで なんまい ありましたか。 〔10点〕

しき

こたえ

2けたどうしの たし算, ひき算に ちゅういしよう。

とくてん

てん

4 たし算と ひき算 ③

月　日　名まえ

はじめ 》　　じ　ふん
》 おわり
　　　　　じ　ふん

むずかしさ
★★

1 いろがみが 400まい あります。200まい あたらしく かうと, なんまいに なりますか。　〔10点〕

しき

こたえ

2 えんぴつが 500本 あります。300人に 1本ずつ くばると えんぴつは なん本 のこりますか。　〔10点〕

しき

こたえ

3 白い がようしが 600まい, 赤い がようしが 100まい あります。がようしは あわせて なんまいですか。　〔10点〕

しき

こたえ

4 はこの 中に 700この おはじきが ありました。このうち, 200こを はこの そとに 出しました。はこの 中に 入って いる おはじきは なんこに なりましたか。　〔10点〕

しき

こたえ

5 でん車に おきゃくさんが 120人 のって いました。つぎの えきで, 43人 のって きました。でん車に のって いる おきゃくさんは なん人に なりましたか。　〔10点〕

しき

こたえ

6 ものがたりの 本が 125さつ, ずかんが 42さつ あります。
本は, ぜんぶで なんさつ ありますか。 〔10点〕

しき

こたえ

7 こうえんに 木が 128本 うえて あります。あたらしく, 3本
の 木を うえました。木は ぜんぶで なん本に なりましたか。
〔10点〕

しき

こたえ

8 あかりさんは きのうまでに, 本を 128ページ よみました。
きょうは 53ページ よみました。あかりさんは ぜんぶで 本を
なんページ よみましたか。 〔10点〕

しき

こたえ

9 ある日の どうぶつえんの にゅうえんしゃ数を しらべると,
子どもが 204人, おとなが 86人でした。にゅうえんしゃは あわ
せて なん人ですか。 〔10点〕

しき

こたえ

10 水そうに さかなが 324ひき いました。そこへ, 38ぴき さか
なを 入れました。さかなは ぜんぶで なんびきに なりましたか。
〔10点〕

しき

こたえ

©くもん出版

まちがえた もんだいは, もう いちど やりなおし
て みよう。

とくてん

てん

5 たし算と ひき算 ④

月　日　名まえ

はじめ ≫
じ　ふん
≫ おわり
じ　ふん

むずかしさ
★ ★

1　いけに きんぎょが 12ひき，めだかが 5ひき います。どちらが なんびき 多いですか。　〔10点〕

しき

こたえ　□□□□□ の ほうが □ ひき 多い。

2　りんごが 7こ，なしが 12こ あります。どちらが なんこ 少ないですか。　〔10点〕

しき

こたえ　□□□□□ の ほうが □ こ 少ない。

3　どうぶつえんに たぬきが 18ぴき，きつねが 25ひき います。どちらが どれだけ 多いですか。　〔10点〕

しき

こたえ　の ほうが　ひき 多い。

4　なわとびを しました。さきさんは 62かい，かいとさんは 45かい とびました。どちらが なんかい 多いですか。　〔10点〕

しき　　　　　こたえ

5　玉入れの 玉を つくって います。赤い 玉が 80こ，白い 玉が 74こ できました。どちらが なんこ 少ないですか。　〔10点〕

しき　　　　　こたえ

6 たいいくかんに　1年生が　189人，2年生が　75人　います。
1年生と　2年生では，どちらが　なん人　少ないですか。　〔10点〕

しき

_____

こたえ

_____

7 まんがの　本が　245さつ，どうわの　本が　32さつ　あります。
どちらが　なんさつ　少ないですか。　〔10点〕

しき

_____

こたえ

_____

8 ふねに　おとなが　108人，子どもが　96人　のって　います。
どちらが　なん人　多く　のって　いますか。　〔10点〕

しき

_____

こたえ

_____

9 かだんに　赤い　ばらが　120本，白い　ばらが　95本　さいて
います。どちらが　なん本　多く　さいて　いますか。　〔10点〕

しき

_____

こたえ

_____

10 つるを　おって　います。さくらさんは　114わ　おりました。
れんさんは　98わ　おりました。おった　つるの　数は，どちらが
どれだけ　少ないですか。　〔10点〕

しき

_____

こたえ

_____

〜の　ほうが　〜多い（少ない）と　いう　形で，
こたえが　かけて　いるか，見なおしを　しよう。

とくてん

てん

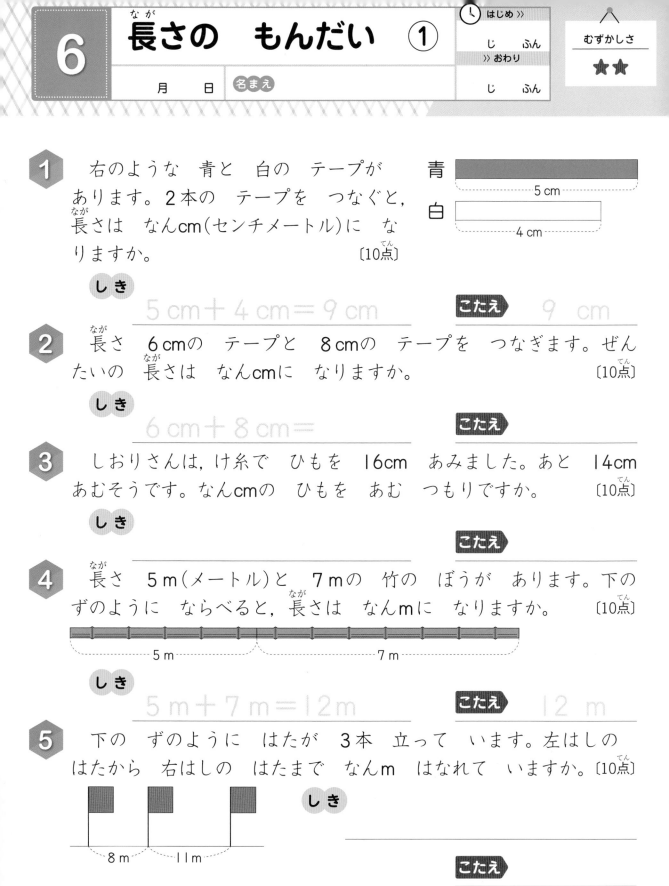

6 長さの もんだい ①

月 日 名まえ

はじめ >>
じ ふん
>> おわり
じ ふん

むずかしさ
★★

1 右のような 青と 白の テープが あります。2本の テープを つなぐと, 長さは なんcm(センチメートル)に なりますか。 〔10点〕

青
5 cm

白
4 cm

しき 5 cm ＋ 4 cm ＝ 9 cm   こたえ 9 cm

2 長さ 6cmの テープと 8cmの テープを つなぎます。ぜんたいの 長さは なんcmに なりますか。 〔10点〕

しき 6 cm ＋ 8 cm ＝   こたえ

3 しおりさんは, け糸で ひもを 16cm あみました。あと 14cm あむそうです。なんcmの ひもを あむ つもりですか。 〔10点〕

しき

こたえ

4 長さ 5m(メートル)と 7mの 竹の ぼうが あります。下の ずのように ならべると, 長さは なんmに なりますか。 〔10点〕

5 m   7 m

しき 5 m ＋ 7 m ＝ 12m   こたえ 12 m

5 下の ずのように はたが 3本 立って います。左はしの はたから 右はしの はたまで なんm はなれて いますか。〔10点〕

8 m   11 m

しき

こたえ

6 長さ 12cmの えんぴつと 16cmの えんぴつが あります。
長さの ちがいは なんcmですか。　　　　　　　　　　　〔10点〕

　しき　　16cm－12cm＝4cm　　　　　**こたえ**　4 cm

7 たて 18cm, よこ 11cmの まんがの 本が あります。たてと
よこの 長さの ちがいは なんcmですか。　　　　　　　〔10点〕

　しき　　18cm－11cm＝　　　　　　　　**こたえ**

8 こうさくで 25cmの け糸の うち, 13cmを つかいました。
け糸は なんcm のこって いますか。　　　　　　　　　〔10点〕

　しき　　　　　　　　　　　　　　　　　　**こたえ**

9 長さが 8mの なわと 12mの なわが あります。ちがいは
なんmですか。　　　　　　　　　　　　　　　　　　　〔10点〕

　しき　　12m－8m＝　　　　　　　　　　**こたえ**

10 たての 長さが 42mの たいいくかんが あります。この たい
いくかんの よこの 長さは, たての 長さより 14m みじかいそ
うです。よこの 長さは なんmですか。　　　　　　　　〔10点〕

　しき　　　　　　　　　　　　　　　　　　**こたえ**

©くもん出版

cm(センチメートル)や　m(メートル)を，しきや
こたえに　きちんと　かけたかな。

とくてん　　　　てん

12

1 赤い テープは 7cm6mm, 青い テープは 8cm2mm あります。 2本の テープを つなぐと なんcmなんmmに なりますか。〔8点〕

しき 7cm6mm＋8cm2mm＝15cm8mm

こたえ

2 しきに かいて こたえましょう。 〔1もん 7点〕

① ひも 15cm6mmと 12cm3mmを つなぐと なんcmなんmm ですか。

しき こたえ

② なわ 4m50cmと 3m40cmを つなぐと なんmなんcmですか。

しき 4m50cm＋3m40cm＝

こたえ

③ 竹ひご 6cm4mmと 5cmを つなぐと なんcmなんmmですか。

しき こたえ

④ 15cm4mmの 草が 5mm のびると なんcmなんmmに なりますか。

しき こたえ

⑤ テープ 1m25cmと 15cmを つなぐと なんmなんcmですか。

しき こたえ

⑥ 11cmの ゴムひもを 8mm のばすと なんcmなんmmですか。

しき こたえ

3 長さ 15cm8mmの ひもが あります。こうさくで 7cm6mm つかいました。のこりの 長さは なんcmなんmmですか。 〔8点〕

しき 15cm8mm－7cm6mm＝8cm2mm

こたえ

4 しきに かいて こたえましょう。 〔1もん 7点〕

① 20cm7mmの テープから 8cm4mmを つかうと, のこりは なんcmなんmmに なりますか。

しき **こたえ**

② 4m65cmと 2m15cmの ひもの ちがいは なんmなんcmですか。

しき 4m65cm－2m15cm＝

こたえ

③ 6m42cmと 3m20cmの なわの ちがいは なんmなんcmですか。

しき **こたえ**

④ 12cm9mmの ひもを 8mm きると, なんcmなんmm のこり ますか。

しき **こたえ**

⑤ はがきの たての 長さは 14cm7mm, よこの 長さは 10cmです。たてと よこの ちがいは なんcmなんmmですか。

しき **こたえ**

⑥ 2m70cmの なわを 45cm きると, なんmなんcm のこりま すか。

しき **こたえ**

© くもん出版

mは mどうし, cmは cmどうし, mmは mmど うして, たしたり ひいたり するんだね。

とくてん

てん

14

8 かさの もんだい ①

月 日 名まえ

はじめ ≫
じ ふん
≫ おわり
じ ふん

むずかしさ
★ ★

1 水が 大きな バケツに 4L, 小さな バケツに 2L 入って います。水は ぜんぶで なんL ありますか。 〔10点〕

しき 4L＋2L＝ こたえ

2 水が 大きな バケツに 5L, 小さな バケツに 3L 入って います。水は ぜんぶで なんL ありますか。 〔10点〕

しき こたえ

3 ジュースが 3L あります。そのうち, 2Lを かぞく みんなで のみました。ジュースは なんL のこって いますか。 〔10点〕

しき 3L－2L＝ こたえ

4 水が 大きな 水そうには 7L, 小さな 水そうには 5L 入って います。2つの 水そうに 入って いる 水の かさの ちがいは なんLですか。 〔10点〕

しき こたえ

5 大きな 水そうに 水を, はじめに 8L 入れ, あとから 4L 入れました。水そうの 水は ぜんぶで なんLに なりました か。 〔10点〕

しき こたえ

6 水が 大きな 水そうに 15L, 小さな 水そうに 9L 入って います。水は ぜんぶで なんL ありますか。 〔10点〕

しき

こたえ

7 水が 大きな 水そうに 23L 入って います。バケツを つかって 水を 8L そとに 出しました。水そうに のこって いる 水は なんLですか。 〔10点〕

しき

こたえ

8 大きな 水そうに バケツを つかって 水を 入れて いきます。はじめに 大きな バケツで 6Lの 水を 1かい 入れて, そのあと, 小さな バケツで 2Lの 水を 2かい 入れました。水そうには なんLの 水が 入って いますか。 〔10点〕

しき

こたえ

9 大きな 水そうに 水が 10L 入って います。はじめに 大きな バケツで 4Lの 水を 出して, そのあと, 小さな バケツで 2Lの 水を 出しました。水そうには なんLの 水が のこって いますか。 〔10点〕

しき

こたえ

10 おちゃが 4L あります。そのうち, 3Lを かぞく みんなで のみました。そのあと, あたらしく 5Lの おちゃを かって きました。おちゃは ぜんぶで なんLに なりましたか。 〔10点〕

しき

こたえ

L (リットル)を しきや こたえに きちんと かけ たかな。

とくてん

てん

9 | かさの もんだい ②
月　日　名まえ

はじめ》
じ　ふん
》おわり
じ　ふん

むずかしさ
★★

1　ジュースが 大きな コップに 3dL, 小さな コップに 2dL 入って います。ジュースは ぜんぶで なんdL ありますか。〔10点〕

しき　3dL＋2dL＝

こたえ

2　大きな 水とうに 水が 8dL, 小さな 水とうに 水が 5dL 入って います。2つの 水とうに 入って いる 水の かさの ちがいは なんdLですか。〔10点〕

しき

こたえ

3　ジュースが 1本の ペットボトルに 1L4dL 入って います。もう 1本の ペットボトルには 5dL 入って います。ジュースは ぜんぶで なんLなんdL ありますか。〔10点〕

しき

こたえ

4　大きな 水そうに 水が 3L7dL 入って います。コップを つかって 水を 4dL 出しました。水そうの 水は なんLなんdL に なりましたか。〔10点〕

しき

こたえ

5　水が 大きな 水そうには 2L6dL, 小さな 水そうには 1L3dL 入って います。2つの 水そうに 入って いる 水の かさの ちがいは どれだけですか。〔10点〕

しき

こたえ

6 水そうに バケツを つかって 水を 入れて いきます。はじめに 小さな バケツで 3L4dLの 水を 入れました。そのあと, 大きな バケツで 5L2dLの 水を 入れました。水そうには なんLなんdLの 水が 入って いますか。 〔10点〕

しき

こたえ

_____

7 水が 大きな コップに 700mL, 小さな コップに 200mL 入って います。水は ぜんぶで なんmL ありますか。 〔10点〕

しき

700mL＋200mL＝

こたえ

8 おちゃが ペットボトルに 400mL 入って います。このうち, 300mLを のみました。ペットボトルに のこって いる おちゃは なんmLですか。 〔10点〕

しき

こたえ

_____

9 ジュースが 1L8dL あります。あたらしく, 1L5dL かって きました。ジュースは ぜんぶで なんLなんdL ありますか。 〔10点〕

しき

こたえ

_____

10 水が 5L8dL 入った 水そうが あります。ますを つかって, 2L6dLの 水を そとに 出しました。水そうに のこって いる 水は なんLなんdLに なりましたか。 〔10点〕

しき

こたえ

_____

©くもん出版

L（リットル）や dL（デシリットル）, mL（ミリリットル）を しきや こたえに きちんと かけたかな。

とくてん

てん

18

10

時こくと　時間　①

月　日　名まえ

はじめ≫
じ　ふん
≫おわり
じ　ふん

むずかしさ
★★

1 ゆうかさんは，あさ　8時に　いえを　出て，8時10分に　学校に
つきました。いえを　出てから　学校に　つくまでに　かかった　時
間は　なん分ですか。　〔10点〕

こたえ □ 分

いえを　出る　　　学校に　つく

8時　　　8時10分

2 けんとさんは，午前8時に　いえを　出て，午前8時20分に　え
きに　つきました。いえを　出てから　えきに　つくまでに　かかっ
た　時間は　なん分ですか。　〔10点〕

こたえ □ 分

8時　　　8時20分

3 れいなさんは，午前9時から　午前9時20分まで　なわとびを
しました。なわとびを　した　時間は　なん分ですか。　〔10点〕

こたえ　　　　分

4 ゆうまさんは，午後2時から　午後2時40分まで　本を　よみまし
た。本を　よんだ　時間は　なん分ですか。　〔10点〕

こたえ

5 たかしさんは, 午前6時から 午前6時15分まで 犬の さんぽを しました。犬の さんぽに かかった 時間は なん分ですか。〔10点〕

こたえ

6 りこさんは, 午後5時10分に かいものに 出かけました。いえに かえって とけいを 見ると, ちょうど 午後5時20分でした。かいものに かかった 時間は なん分ですか。〔10点〕

こたえ

7 午前9時20分から 算数の べんきょうを はじめ, 午前9時35分に おわりに しました。算数の べんきょうに かかった 時間は なん分ですか。〔10点〕

こたえ

8 午後4時25分から 算数の べんきょうを はじめ, 午後4時40分に おわりに しました。算数の べんきょうに かかった 時間は なん分ですか。〔10点〕

こたえ

9 午前9時50分から 算数の べんきょうを はじめ, 午前10時に おわりに しました。算数の べんきょうに かかった 時間は どれだけですか。〔10点〕

こたえ

10 ななみさんは, 午後4時30分から 午後5時まで バイオリンの れんしゅうを しました。バイオリンの れんしゅうに かかった 時間は どれだけですか。〔10点〕

こたえ

まちがえた もんだいは, とけいを よく 見て やりなおして みよう。

とくてん　　てん

月　日　名まえ

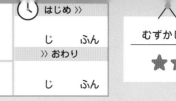

むずかしさ
★★

1 いつきさんは，こうえんで 午後4時から 午後5時まで あそびました。いつきさんが あそんだ 時間は なん時間ですか。〔10点〕

こたえ □ 時間

はじめ　　　　おわり
4時　　　　　5時

2 かおりさんは，えいがを 見に 午後4時に いえを 出ました。かえって きたのは 午後6時でした。いえを 出てから かえるまでに かかった 時間は どれだけですか。〔10点〕

こたえ □ 時間

4時　　　　6時

3 ひなたさんは，午前9時から 午前11時まで えを かきました。ひなたさんが えを かいて いた 時間は どれだけですか。〔10点〕

こたえ

4 わたるさんは，おかあさんと 午前8時に いえを 出て，デパートに いきました。いえに もどって とけいを 見ると，ちょうど 午前11時でした。いえを 出てから もどるまでの 時間は どれだけですか。〔10点〕

こたえ

5 いもうとは, 午前10時から 午前12時まで ようちえんに いっています。いもうとが ようちえんに いって いる 時間は どれだけですか。 〔10点〕

こたえ

6 おとうとは, 午前9時から 午前12時まで ようちえんに いっています。おとうとが ようちえんに いって いる 時間は どれだけですか。 〔10点〕

こたえ

7 はるかさんは, 午前8時から 午前12時まで うみへ いきました。うみに いって いた 時間は どれだけですか。 〔10点〕

こたえ

8 ひろとさんたちは えんそくに いきました。おべんとうを たべたのは 午前12時(正午)から 午後1時まででした。おべんとうを たべた 時間は どれだけですか。 〔10点〕

こたえ

9 ある おいしゃさんは, 午前12時から 午後2時までが ひる休みです。この おいしゃさんの ひる休みの 時間は どれだけですか。 〔10点〕

こたえ

10 たけるさんは, 午前12時から 午後5時まで ともだちの いえに いました。たけるさんが ともだちの いえに いた 時間は どれだけですか。 〔10点〕

こたえ

まちがえた もんだいは, とけいを よく 見て やりなおして みよう。

とくてん

てん

12 時こくと　時間　③

月　日　名まえ

1 さとしさんは，いえを　午前8時に　出て，10分間　あるいて学校に　つきました。学校に　ついた　時こくは　午前なん時なん分ですか。〔10点〕

いえを　出る　　学校に　つく

8時　　8時10分

こたえ 午前　□　時　□　分

2 ゆきこさんは，午後4時から　30分間　べんきょうを　しました。べんきょうを　おえた　時こくは　午後なん時なん分ですか。〔10点〕

4時

こたえ 午後　□　時　□　分

3 こうたさんは，午後3時20分から　10分間　なわとびを　しました。なわとびを　おえた　時こくは　午後なん時なん分ですか。〔10点〕

こたえ 午後　　時　　分

3時20分

4 あゆみさんは，午前10時30分から　15分間　へやの　そうじを　しました。そうじを　おえた　時こくは午前なん時なん分ですか。〔10点〕

10時30分

こたえ

5 すすむさんは, 午後4時20分から 30分間 じてん車に のって あそびました。あそびを おえた 時こくは 午後なん時なん分ですか。

〔10点〕

こたえ
_____

6 いえから えきまで あるくと 40分 かかります。午前9時15分に いえを 出ると, えきに つく 時こくは 午前なん時なん分ですか。

〔10点〕

こたえ
_____

7 あやとさんは, 午前9時20分から 40分間 さんぽを しました。さんぽを おえた 時こくは 午前なん時ですか。

〔10点〕

こたえ 午前　　時
_____

8 みさきさんは, 午前10時40分から 20分間 どくしょを しました。どくしょを おえた 時こくは 午前なん時ですか。

〔10点〕

こたえ
_____

9 わたるさんは, 午後4時40分から 20分間 どくしょを しました。どくしょを おえた 時こくは 午後なん時ですか。

〔10点〕

こたえ
_____

10 まりえさんは, 午後4時10分から 50分間 なわとびを しました。なわとびを おえた 時こくは 午後なん時ですか。

〔10点〕

こたえ
_____

なん分 あとは わかったかな。まちがえた もんだいは, とけいを 見て やりなおして みよう。

とくてん　　　　てん

13

時こくと　時間　④

月　日　名まえ

はじめ ≫
じ　　ふん
≫ おわり
じ　　ふん

むずかしさ
★ ★

1 みつきさんが　いえから　えきまで　あるくと, 10分　かかります。午前9時に　えきに　つくように　するには, いえを　午前なん時なん分に　出たら　よいですか。〔10点〕

出る　　　　　　　つく

こたえ 午前8時50分

8時50分　　　9時

2 いえから　としょかんまで　あるいて　15分です。午前9時に　としょかんに　つくように　するには, いえを　午前なん時なん分に　出たら　よいですか。〔10点〕

こたえ

9時

3 かなたさんは, いえを　出てから　15分　かかって, えきに　午前10時に　つきました。かなたさんが　いえを　出た　時こくは　午前なん時なん分ですか。〔10点〕

こたえ

4 さなさんは, 学校を　出てから　30分　かかって, いえに　午後5時に　つきました。さなさんが　学校を　出た　時こくは　午後なん時なん分ですか。〔10点〕

こたえ

5 えいたさんは, 学校に　午前8時に　つきました。いえを　出てから　40分　かかったそうです。えいたさんは　いえを　午前なん時なん分に　出ましたか。〔10点〕

こたえ

6 30分間 どくしょを したら，午後4時50分に なりました。どくしょを はじめた 時こくは 午後なん時なん分ですか。〔10点〕

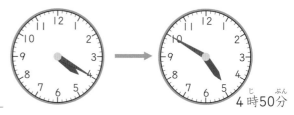

4時50分

こたえ _____

7 こうきさんは，20分間 ローラースケートを して あそびました。あそびを おえた 時こくは 午後3時30分だそうです。ローラースケートを はじめた 時こくは 午後なん時なん分ですか。〔10点〕

こたえ _____

8 ゆうなさんは，30分間 ピアノの れんしゅうを します。午後4時30分に れんしゅうが おわるように するには，午後なん時に れんしゅうを はじめれば よいですか。〔10点〕

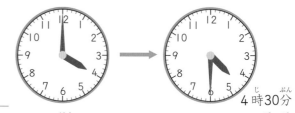

4時30分

こたえ _____

9 かおるさんは，いえを 出てから 20分 かかって，えきに 午後3時20分に つきました。かおるさんが いえを 出た 時こくは 午後なん時ですか。〔10点〕

こたえ _____

10 いまは 午後2時40分です。ひこうきは いまから 25分まえに とびたちました。ひこうきが とびたった 時こくは 午後なん時なん分ですか。〔10点〕

こたえ _____

なん分 まえは わかったかな。まちがえた もんだいは，とけいを 見て やりなおして みよう。

とくてん

てん

はじめ ≫
じ　　ふん
≫ おわり
じ　　ふん

1　れいこさんは，学校から　かえって　20分　ピアノの　れんしゅうを　したあと，20分　かん字の　れんしゅうを　しました。時間はあわせて　なん分ですか。〔10点〕

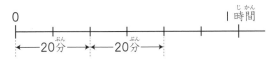

こたえ

2　かんなさんは，きのう　40分，きょう　10分　しゅくだいを　しました。時間は　あわせて　どれだけですか。〔10点〕

こたえ

3　あきらさんは，いえから　15分　あるいた　ところで　わすれものに　気づき，10分　はしって　いえに　もどりました。いえを　出てから　いえに　もどるまでに　かかった　時間は　どれだけですか。〔10点〕

こたえ

4　つばささんは，どうわの　本を　きのうは　25分，きょうは　20分よみました。よんだ　時間は　あわせて　どれだけですか。〔10点〕

こたえ

5　たくみさんは，こうえんで　はじめに　なわとびを　15分　して，そのあと　ボールで　40分　あそびました。こうえんで　あそんだ時間は　あわせて　どれだけですか。〔10点〕

こたえ

6 あおいさんは, こうえんで 20分 あそび, そのあと すずさんの いえで 8分 あそびました。あそんだ 時間は ぜんぶで どれだけですか。　〔10点〕

こたえ＿＿＿＿＿＿＿＿＿＿

7 えりかさんは, さんぽを 15分 したあと, 4分 なわとびを しました。時間は あわせて どれだけですか。　〔10点〕

こたえ＿＿＿＿＿＿＿＿＿＿

8 おかあさんは, かいものを 15分 したあと, りょうりを 25分 しました。時間は あわせて どれだけですか。　〔10点〕

こたえ＿＿＿＿＿＿＿＿＿＿

9 ゆいとさんは, バスに 35分 のり, でん車に 15分 のりました。のりものに のって いた 時間は あわせて どれだけですか。　〔10点〕

こたえ＿＿＿＿＿＿＿＿＿＿

10 りょうまさんは, おふろに 25分 入ったあと, 25分 テレビを みました。時間は あわせて どれだけですか。　〔10点〕

こたえ＿＿＿＿＿＿＿＿＿＿

まちがえた もんだいは, もういちど やりなおして みよう。

とくてん　　　てん

月　日　名まえ

1 こうえんで 子どもが あそんで います。そこ
へ 4人 あそびに きました。また 5人 あそ
びに きました。こうえんで あそんで いる 子
どもは なん人 ふえましたか。　〔10点〕

しき

こたえ

2 いけで あひるが およいで います。そこへ 6わ きました。
また 3わ きました。あひるは なんわ ふえましたか。　〔10点〕

しき

こたえ

3 とりごやで にわとりが えさを たべて います。そのうち
3わが そとへ 出て いきました。また 5わ 出て いきまし
た。とりごやの にわとりは なんわ へりましたか。　〔10点〕

しき

こたえ

4 バスが とまりました。おきゃくさんが 4人 おりて, 9人
のって きました。おきゃくさんの 数は なん人 ふえましたか。
〔10点〕

しき

こたえ

5 バスが とまりました。おきゃくさんが 8人 おりて, 3人
のって きました。おきゃくさんの 数は なん人 へりましたか。
〔10点〕

しき

こたえ

6 16わの はとが えさを たべて
いました。そのうち 2わが とんで
いき, また 3わ とんで いきました。

〔ぜんぶ できて 10点〕

① とんで いった はとは なんわですか。

しき 2＋3＝5   **こたえ**

② はとは, ぜんぶで なんわに なりましたか。

しき 16－5＝   **こたえ**

7 りんごが 18こ ありました。きのう 5こ たべて, きょう
また 3こ たべました。

〔ぜんぶ できて 20点〕

① たべた りんごの 数は なんこですか。

しき   **こたえ**

② のこって いる りんごの 数は なんこですか。

しき   **こたえ**

8 こうえんで 18人の 子どもが あそんで いました。そこへ
4人 きて, また 3人 きました。こうえんで あそんで いる
子どもは, ぜんぶで なん人に なりましたか。〔ぜんぶ できて 20点〕

① (ふえた 子どもの 数を もとめる)

しき

② (ぜんぶの 子どもの 数を もとめる)

しき   **こたえ**

©くもん出版

こたえを かきおわったら, 見なおしを しよう。
まちがいが 少なく なるよ。

とくてん　　　てん

むずかしさ ★★

月 日 名まえ

1 たまごが 20こ ありました。きのう 4こ, きょう 5こ たべました。 〔ぜんぶ できて 10点〕

① へった たまごの 数は なんこですか。

しき 4＋5＝   こたえ

② のこって いる たまごの 数は なんこですか。（ ）を つかって しきに かいて もとめましょう。

しき
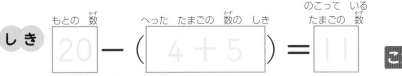
20 －（ 4＋5 ）＝ 11   こたえ

もとの 数　へった たまごの 数の しき　のこって いる たまごの 数

2 100円 出して, 下の ねだんの えんぴつと ノートを かいました。おつりは いくらですか。（ ）を つかって しきに かいて もとめましょう。 〔10点〕

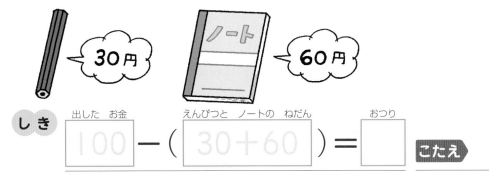

30円　60円

しき
100 －（ 30＋60 ）＝   こたえ

出した お金　えんぴつと ノートの ねだん　おつり

3 いろがみが 40まい ありました。きのう 15まい, きょう 9まい つかいました。いろがみは なんまい のこって いますか。（ ）を つかって しきに かいて もとめましょう。 〔10点〕

しき 40－（15＋9）＝   こたえ

4 バスに おきゃくさんが 30人 のって います。えきまえで 8人 おり, つぎの こうえんまえで 6人 おりました。おきゃくさんは なん人に なりましたか。( )を つかって しきに かいて もとめましょう。 〔10点〕

しき 30−(8＋6)＝ **こたえ**

5 すずめが でんせんに 19わ とまって います。そのうち 5わ とんで いきました。また 4わ とんで いきました。でんせんに とまって いる すずめは なんわに なりましたか。 〔15点〕

しき **こたえ**

6 花火が 35本 ありました。きのう 10本, きょう 8本 つかいました。花火は なん本 のこって いますか。 〔15点〕

しき **こたえ**

7 あめが 20こ あります。おとうとに 6こ, いもうとにも 6こ あげました。あめは なんこ のこって いますか。 〔15点〕

しき **こたえ**

8 みかんが 50こ ありました。きのう 9こ, きょう 8こ たべました。みかんは なんこ のこって いますか。 〔15点〕

しき **こたえ**

©くもん出版

( )を つかうと 2つの しきは 1つに なります。( )の 中の 計算は 先に する 計算だよ。

とくてん   てん

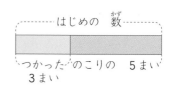
1 かのんさんは, いろがみを 3まい つかいました。まだ 5まい のこって います。はじめに いろがみは なんまい ありましたか。　〔10点〕

はじめの 数
つかった 3まい　のこりの 5まい

しき　5＋3＝8

こたえ

2 ばらの 花が さいて います。4本 きりましたが, まだ 6本 さいて います。ばらは はじめに なん本 さいて いましたか。　〔10点〕

しき　6＋　＝

こたえ

3 りんごを かって きました。きょう 2こ たべましたが, まだ 5こ のこって います。なんこ かって きましたか。　〔10点〕

しき　5＋　＝

こたえ

4 かごの 中の かきを 5こ たべましたが, まだ 8こ のこって います。かきは はじめに なんこ ありましたか。　〔10点〕

しき

こたえ

5 2年1くみでは, こうさくで がようしを 38まい つかいました。まだ 20まい のこって います。がようしは はじめに なんまい ありましたか。　〔10点〕

しき

こたえ

6 りくとさんは 本を よんで います。いままでに 85ページ よんだので, のこりは 75ページに なりました。この 本は ぜんぶで なんページ ありますか。 〔10点〕

しき

こたえ

7 35円の おかしを かったら, のこりが 95円に なりました。はじめに なん円 もって いましたか。 〔10点〕

しき

こたえ

8 いろがみを 25まい つかったら, のこりが 75まいに なりました。はじめに なんまい ありましたか。 〔10点〕

しき

こたえ

9 いちかさんは, ひもを 60cm つかいました。ひもは まだ 2m30cm のこって いるそうです。はじめに ひもは どれだけ ありましたか。 〔10点〕

しき

こたえ

10 トラックで にもつを 85こ はこびましたが, まだ 35こ のこって います。はじめに にもつは なんこ ありましたか。〔10点〕

しき

こたえ

もんだいを よく よんで, どんな しきに なるか かんがえよう。

とくてん

てん

18 たし算と ひき算 ⑧

はじめ ≫		
じ	ふん	
≫ おわり		
じ	ふん	

月 日 　名まえ

むずかしさ
★★

1 すずめが 10ぱ いました。なんわか とんで いったので，6わに なりました。 なんわ とんで いきましたか。 〔10点〕

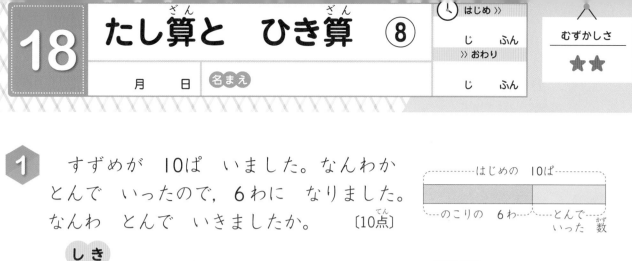

はじめの 10ぱ

のこりの 6わ　 とんで いった 数

しき
10−6=4

こたえ

2 いろがみが 8まい ありました。ともだちに あげたら，5まい のこりました。なんまい あげましたか。 〔10点〕

しき
8−

こたえ

3 ろうそくが 7本 ありました。なん本か つかったので，のこり が 2本に なりました。つかった ろうそくは なん本ですか。 〔10点〕

しき
7−　=

こたえ

4 りんごが 9こ ありました。となりの 人に なんこか あげた ので，のこりが 5こに なりました。なんこ あげましたか。〔10点〕

しき

こたえ

5 いけに かめが 12ひき いました。きのう なんびきか にげて しまったので，10ぴきに なりました。なんびき にげましたか。 〔10点〕

しき

こたえ

6 はがきが 14まい ありました。きょう なんまいか つかったの で，8まい のこって います。なんまい つかいましたか。 〔10点〕

しき

こたえ

7 はとが 24わ いました。子どもが きたので，なんわか とんで いき，8わに なりました。なんわ とんで いきましたか。 〔10点〕

しき

こたえ

8 おこづかいを 150円 もって いました。1しゅう間 たったら， 80円 のこって いました。1しゅう間に なん円 つかいましたか。 〔10点〕

しき

こたえ

9 かみテープが 30m ありました。こうさくで つかったので， のこりが 7mに なりました。なんm つかいましたか。 〔10点〕

しき

こたえ

10 たまごが 100こ ありました。そのうち りょうりで なんこか つかったので，のこりが 64こに なりました。なんこ つかいまし たか。 〔10点〕

しき

こたえ

もんだいを よく よんで，どんな しきに なるか かんがえよう。

とくてん

てん

19 たし算と ひき算 ⑨

むずかしさ ★★

はじめ 》 じ ふん
》 おわり
じ ふん

月 日 名まえ

1 赤い いろがみが 5まい あります。青い いろがみと あわせると, 8まいに なります。青い いろがみは なんまい ありますか。

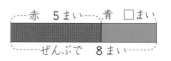

赤 5まい 青 □まい
ぜんぶで 8まい

しき 〔10点〕

$8 - 5 = 3$

こたえ

2 6人で ボールなげを して います。なん人か きたので, 10人に なりました。なん人 きましたか。 〔10点〕

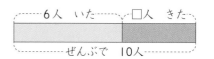

6人 いた □人 きた
ぜんぶで 10人

しき

$10 -$　$=$

こたえ

3 うみべに ふねが 4そう あります。そこへ ふねが たくさん かえって きたので, みんなで 12そうに なりました。かえって きた ふねは なんそうですか。 〔10点〕

しき

$12 -$　$=$

こたえ

4 水そうに 水が 10L 入って います。バケツで 水を 入れると, ぜんぶで 30Lに なりました。バケツで 入れた 水は なんLですか。 〔10点〕

しき

こたえ

5 ひかりさんは, きのう つるを 28わ おりました。きょう また おったので, ぜんぶで 64わに なりました。きょうは つるを なんわ おりましたか。 〔10点〕

しき

こたえ

6 　ひろとさんは，きのう　本を　35ページ　よみました。きょう　また　よんだので，ぜんぶで　72ページ　よんだ　ことに　なりました。きょうは　なんページ　よみましたか。　　　　　　　　　〔10点〕

しき

こたえ

_____

7 　ゆうべ，たまごを　かぞえて　みると　27こ　ありました。けさ　また　にわとりが　たまごを　うんだので，52こに　なりました。けさ　にわとりは　たまごを　なんこ　うみましたか。　　　〔10点〕

しき

こたえ

_____

8 　すみれさんは，400円　もって　いました。きょう，おかあさんから　おこづかいを　もらったので，ちょうど　1000円に　なりました。すみれさんは，おかあさんから　なん円　もらいましたか。〔10点〕

しき

こたえ

_____

9 　みかんが　30こ　ありました。きょう，となりの　人から　なんこか　もらったので，120こに　なりました。となりの　人から　なんこ　もらいましたか。　　　　　　　　　　　　　　　〔10点〕

しき

こたえ

_____

10 　ゆいさんは，きのう　どんぐりを　87こ　ひろいました。きょう　また　ひろったので，ぜんぶで　141こに　なりました。きょうは　なんこ　ひろいましたか。　　　　　　　　　　　　　　　〔10点〕

しき

こたえ

_____

もんだいを　よく　よんで，どんな　しきに　なるか　かんがえよう。

とくてん　　　てん

38

はじめ 》　　じ　ふん
》 おわり　　じ　ふん

1 おはじきを 4こ もらったので, 9こに なりました。はじめに なんこ ありましたか。〔10点〕

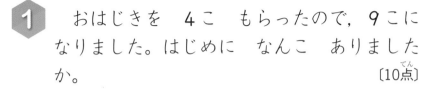

はじめの数 □こ　4こ もらった
ぜんぶで 9こ

しき 9－4＝5

こたえ

2 水そうに おたまじゃくしが なんびきか いました。きのう また 3びき 入れたので, ぜんぶで 10ぴきに なりました。はじめに なんびき いましたか。〔10点〕

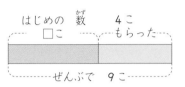

はじめの数 □ひき　入れた数 3びき
ぜんぶで 10ぴき

しき 10－　＝

こたえ

3 まおさんは, きょう つるを 3わ おったので, ぜんぶで 8わに なりました。つるは はじめに なんわ ありましたか。〔10点〕

しき 8－　＝

こたえ

4 おかあさんに 80円 もらったので, もって いる お金は ちょうど 280円に なりました。はじめに なん円 もって いましたか。〔10点〕

しき

こたえ

5 あさひさんの いえでは, きょう きんぎょを 5ひき かってきたので, ぜんぶで 23びきに なりました。はじめに なんびき いましたか。〔10点〕

しき

こたえ

6 はとが 9わ とんで きました。これまでに いた はとと あわせると，ぜんぶで 25わに なりました。はとは はじめ，なんわ いましたか。 〔10点〕

しき

こたえ

7 こうえんに 16人の 子どもが あそびに きました。子どもは ぜんぶで 38人に なりました。こうえんには，はじめに 子どもが なん人 あそんで いましたか。 〔10点〕

しき

こたえ

8 みさきさんは きょう 本を 37ページ よんだので，ぜんぶで 65ページ よんだ ことに なります。きのうまでに なんページ よんで いましたか。 〔10点〕

しき

こたえ

9 たいいくかんに おとなが 29人 います。子どもと あわせると 242人に なります。子どもは なん人 いますか。 〔10点〕

しき

こたえ

10 おちゃを 1L3dL もらったので，ぜんぶで 2L7dLに なりました。おちゃは はじめ なんLなんdL ありましたか。 〔10点〕

しき

こたえ

もんだいを よく よんで，どんな しきに なるか かんがえよう。

とくてん

てん

21 たし算と ひき算 ⑪

月 日 名まえ

はじめ >>
じ ふん
>> おわり
じ ふん

むずかしさ
★★

1 りんごを かって きました。きょう 7こ たべましたが, まだ 9こ のこって います。りんごを なんこ かって きましたか。 〔10点〕

しき

こたえ

2 めいさんは, いろがみを 12まい つかったので, のこりが 20まいに なりました。はじめに なんまい もって いましたか。 〔10点〕

しき

こたえ

3 いけに あひるが 16わ いました。なんわか 出て いったので, 7わに なりました。なんわ 出て いきましたか。 〔10点〕

しき

こたえ

4 がようしが 45まい ありました。そらさんの くみの せいとに くばったら, 6まい のこりました。がようしを なんまい くばりましたか。 〔10点〕

しき

こたえ

5 かみテープが 16m ありました。こうさくで つかったので, のこりが 4mに なりました。かみテープを どれだけ つかいましたか。 〔10点〕

しき

こたえ

6 赤い 花が 9本 あります。きいろい 花と あわせると, 17本 に なります。きいろい 花は なん本 ありますか。 〔10点〕

しき

こたえ

7 おはじきが 16こ ありました。おねえさんから なんこか もらったので, ぜんぶで 30こに なりました。おねえさんから なんこ もらいましたか。 〔10点〕

しき

こたえ

8 あんなさんは ふでばこを かうのに 1000円 はらい, おつり を 200円 もらいました。ふでばこは なん円でしたか。 〔10点〕

しき

こたえ

9 さきさんは, おねえさんから シールを 35まい もらいました。 まえに もって いた シールと あわせると, 82まいに なりまし た。さきさんは, まえに シールを なんまい もって いましたか。 〔10点〕

しき

こたえ

10 ただしさんが,「あと 45円 あったら, 120円の チョコレート が かえる」と, いいました。ただしさんは なん円 もって いま すか。 〔10点〕

しき

こたえ

もんだいを よく よんで, どんな しきに なるか かんがえよう。

とくてん

てん

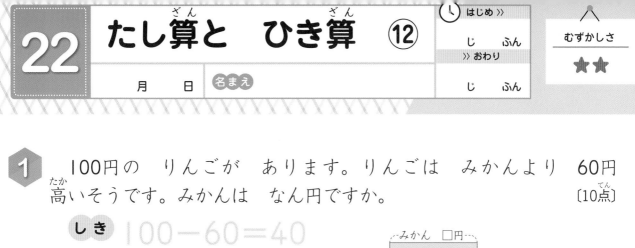

1 100円の りんごが あります。りんごは みかんより 60円 高いそうです。みかんは なん円ですか。 〔10点〕

しき 100−60＝40

こたえ

2 90円の チョコレートが あります。チョコレートは ガムより 40円 高いそうです。ガムは なん円ですか。 〔10点〕

しき 90−　＝

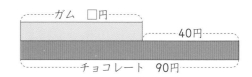

こたえ

3 はるとさんが かった けしゴムは，えんぴつより 25円 高くて，80円でした。えんぴつは なん円ですか。 〔10点〕

しき

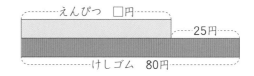

こたえ

4 大きい びんに 水が 800mL 入って います。大きい びんには，小さい びんより 200mL 多く 入って いるそうです。小さい びんには 水が なんmL 入って いますか。 〔10点〕

しき

こたえ

5 青い リボンの 長さは 95cmで, 赤い リボンより 28cm 長いそうです。赤い リボンは なんcmですか。 〔10点〕

しき

こたえ

6 下じきは, ノートより 60円 高くて, 140円だそうです。ノート は なん円ですか。 〔15点〕

しき

こたえ

7 がようしは, こうさくようしより 96まい 多くて, 124まい あるそうです。こうさくようしは なんまい ありますか。 〔15点〕

しき

こたえ

8 白い かみは, 赤い かみより 25まい 多くて, 348まい あり ます。赤い かみは なんまい ありますか。 〔10点〕

しき

こたえ

9 ゆきさんが かった ふでばこは, ノートより 400円 高くて, 600円でした。ノートは なん円でしたか。 〔10点〕

しき

こたえ

もんだいを よく よんで, どんな しきに なるか かんがえよう。

とくてん

てん

23 たし算と ひき算 ⑬

月　日　名まえ

はじめ ≫
　　じ　　ふん
≫ おわり
　　じ　　ふん

むずかしさ
★★

1 けしゴムの ねだんは 40円で, ノートより 30円 やすいそうです。ノートの ねだんは なん円ですか。　〔10点〕

しき　40＋30＝70

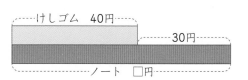

こたえ

2 あやのさんの もって いる おはじきの 数は 70こで, おねえさんの もって いる おはじきの 数より 20こ 少ないそうです。おねえさんは なんこ もって いますか。　〔10点〕

しき　70＋　　＝

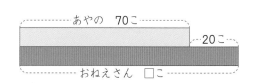

こたえ

3 みゆきさんが かった えんぴつは, ノートより 45円 やすくて 30円でした。ノートの ねだんは なん円ですか。　〔10点〕

しき　30＋　　＝

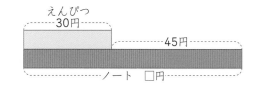

こたえ

4 おちゃは, ジュースより 1L5dL 少なくて 9dLでした。ジュースは なんLなんdLですか。　〔10点〕

しき

こたえ

⑤ 青い いろがみは，赤い いろがみより 26まい 少なくて，48まい あるそうです。赤い いろがみは なんまい ありますか。 〔10点〕

しき _____

青い いろがみ
48まい
26まい
赤い いろがみ □まい

こたえ _____

⑥ りくさんは，シールを 35まい もって います。りくさんは おにいさんより 17まい 少ないそうです。おにいさんは，シールを なんまい もって いますか。 〔10点〕

しき _____

こたえ _____

⑦ かいもので ひなさんが つかった お金は 300円で，おねえさんより 200円 少なかったそうです。おねえさんは なん円 つかいましたか。 〔10点〕

しき _____

こたえ _____

⑧ あいりさんが かった ノートは，下じきより 65円 やすくて，85円でした。下じきの ねだんは なん円でしたか。 〔15点〕

しき _____

こたえ _____

⑨ はり金の 長さは，ひもより 32cm みじかくて 58cmです。ひもの 長さは なんcmですか。 〔15点〕

しき _____

こたえ _____

もんだいを よく よんで，どんな しきに なるか かんがえよう。

とくてん ___ てん

たし算と ひき算 ⑭

はじめ ≫	
じ	ふん
≫ おわり	
じ	ふん

むずかしさ
★ ★

月 日 名まえ

1 1本 130円の ゆりが あります。ゆりは きくより 55円 高いそうです。きく 1本の ねだんは なん円ですか。 〔10点〕

しき

こたえ

2 つくえの 高さは 61cm あります。つくえの 高さは, いすより 26cm 高いそうです。いすの 高さは なんcmですか。 〔10点〕

しき

こたえ

3 カーネーション 1本の ねだんは, ばらの 花より 60円 やすくて 85円でした。ばらの 花の ねだんは なん円ですか。 〔10点〕

しき

こたえ

4 あかりさんは, どうわの 本を よんで います。きょうは 37ページ よみました。これは, きのう よんだ ページ数より 14ページ 少ないそうです。あかりさんは, きのう なんページ よみましたか。 〔10点〕

しき

こたえ

5 おかあさんは, おじいさんより 32さい 年下で 39さいです。おじいさんは なんさいですか。 〔10点〕

しき

こたえ

6 たいいくかんに 人が あつまって います。子どもは 162人で, おとなより 57人 多いそうです。おとなは なん人 いますか。

しき

〔10点〕

こたえ

7 こうさくようしは, がようしより 28まい 少なくて, 67まい あるそうです。がようしは なんまい ありますか。

〔10点〕

しき

こたえ

8 しおりさんが かった ケーキは, アイスクリームより 25円 やすくて, 80円でした。アイスクリームは なん円ですか。

〔10点〕

しき

こたえ

9 りつさんの いえで とれた ももの 数は, すいかよりも 70こ 多くて, 150こでした。すいかは なんこ とれましたか。

〔10点〕

しき

こたえ

10 こはるさんは どんぐりを 75こ ひろいました。ゆうきさんは こはるさんより 8こ 多く ひろいました。ゆうきさんは なんこ ひろいましたか。

〔10点〕

しき

こたえ

こたえを かきおわったら, 見なおしを しよう。

とくてん

てん

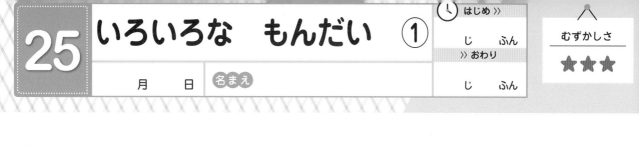
1 すばるさんの　いえに　たまごが　12こ　ありました。きょう　かほさんの　いえから　5こ，しょうまさんの　いえから　6こ　もらいました。たまごは　なんこ　ふえましたか。　〔10点〕

しき 5 ＋ 6 ＝ 11　**こたえ**

2 みおさんは　えんぴつを　15本　もって　いました。きょう　おねえさんから　6本，おかあさんから　12本　もらいました。みおさんの　もって　いる　えんぴつは　なん本　ふえましたか。　〔10点〕

しき ☐ ＋ ☐ ＝ ☐　**こたえ**

3 ゴムひもが　80cm　あります。この　ひもを　はじめに　25cm　つかい，つぎに　18cm　つかいました。ゴムひもは　はじめより　なんcm　みじかく　なりましたか。　〔10点〕

しき ☐cm＋☐cm＝☐cm　**こたえ**

4 はがきが　46まい　ありました。きのう　18まい，きょう　15まい　つかいました。つかった　はがきは　なんまいですか。　〔10点〕

しき　　　　　**こたえ**

5 みかんを　きのう　15こ，きょう　17こ　たべましたが，まだ　18こ　のこって　います。みかんは　はじめより　なんこ　少なく　なりましたか。　〔10点〕

しき　　　　　**こたえ**

6 けんじさんは, 100円 もって います。たんじょう日に おとうさんから 70円, おばあさんから 50円 もらいました。けんじさんの もって いる お金は なん円 ふえましたか。 〔10点〕

しき

こたえ

7 そうこに, こめが 25ふくろ 入って いました。きのう 75ふくろ 入れ, きょう 65ふくろ 入れました。そうこの こめは なんふくろ 多く なりましたか。 〔10点〕

しき

こたえ

8 そうこに こめが 182ふくろ 入って いました。きのう トラックで 85ふくろ はこび出し, きょう また 43ふくろ はこび出しました。そうこの こめは なんふくろ 少なく なりましたか。 〔10点〕

しき

こたえ

9 しんせきから みかんが 1はこ とどきました。中に 124こ 入って いました。そのうち, となりの いえに 80こ あげました。そして, みんなで 32こ たべました。はこの 中の みかんは なんこ 少なく なりましたか。 〔10点〕

しき

こたえ

10 ジュースが 3L8dL ありました。ジュースを きのう 7dL, きょう 9dL のみました。ジュースは なんLなんdL 少なく なりましたか。 〔10点〕

しき

こたえ

しきに ひつような 数は どれか, よく もんだいを よんで かんがえよう。

とくてん

てん

50

いろいろな もんだい ②

月 日 名まえ

むずかしさ ★★★

1 いろがみを れいなさんは 30まい, ゆづきさんは 20まい もって います。ふたりは それぞれ 5まいずつ つかって つる を おりました。 〔ぜんぶ できて 20点〕

① ふたりの のこりの いろがみは, それぞれ なんまいですか。

〈れいな〉 しき 30－5＝25　　こたえ 25まい

〈ゆづき〉 しき 20－5＝15　　こたえ 15まい

② ふたりの のこりの いろがみの ちがいは なんまいですか。

しき 25－15＝10　　こたえ 10まい

③ はじめに もって いた いろがみの ちがいは なんまいです か。

しき 30－20＝10　　こたえ 10まい

2 ももかさんは 80円, けんとさんは 50円 もって います。ふ たりは それぞれ 40円の けしゴムを かいました。〔ぜんぶ できて 20点〕

① ふたりの のこりの お金は, それぞれ なん円ですか。

〈ももか〉 しき _____　　こたえ

〈けんと〉 しき _____　　こたえ

② ふたりの のこりの お金の ちがいは なん円ですか。

しき _____　　こたえ

③ はじめに もって いた お金の ちがいは なん円ですか。

しき _____　　こたえ

③ りおさんは 100円，ゆうとさんは 80円 もって います。ふたりは それぞれ 30円の ガムを かいました。ふたりの のこりの お金の ちがいは なん円ですか。〔15点〕

しき 100−80＝

こたえ

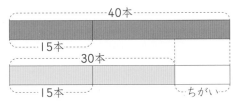

④ 花だんに 赤い 花が 40本，きいろい 花が 30本 さいて います。おかあさんが，赤と きいろの 花を それぞれ 15本ずつ きりとりました。花だんに のこって いる 赤と きいろの 花の ちがいは なん本ですか。〔15点〕

しき 40−30＝

こたえ

⑤ 赤い いろがみが 50まい，青い いろがみが 20まい あります。赤と 青の いろがみを それぞれ 15まいずつ つかいました。のこりの 赤と 青の いろがみの ちがいは なんまいですか。〔15点〕

しき

こたえ

⑥ ひろしさんの 水とうに 900mL，あんなさんの 水とうに 700mL おちゃが 入って います。ふたりは それぞれ 300mL の おちゃを のみました。ふたりの のこりの おちゃの かさの ちがいは なんmLですか。〔15点〕

しき

こたえ

同じ 数を ひく ときは，はじめの 数の ちがいが のこりの 数の ちがいと 同じに なるよ。

とくてん
てん

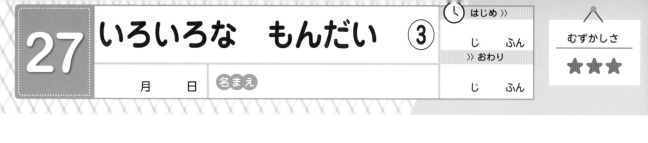

27 いろいろな もんだい ③

むずかしさ ★★★

月　日　名まえ

1 いけで あひるが およいで います。そのうち 3わ きしへ あがって いきました。また 2わ あがって いったので, いけの あひるは 10ぱに なりました。あひるは, はじめに いけに なんわ いましたか。　〔10点〕

しき

$10 + 2 = 12$

$12 + 3 =$

のこり 10ぱ　2わ　3わ
はじめ □わ

こたえ

2 はこに みかんが 入って いました。きのう 6こ たべ, きょうも 7こ たべたので, のこりは 17こに なりました。はじめに はこに 入って いた みかんは なんこでしたか。　〔10点〕

しき

_____ , _____

こたえ

3 なわとびを して います。そこへ 1年生が 4人, 2年生が 7人 きたので, みんなで 23人に なりました。はじめに なん人 いましたか。　〔10点〕

しき

$23 - 7 = 16$

$16 - 4 =$

みんなで 23人
はじめ □人　4人　7人

こたえ

4 みおさんは, おねえさんから シールを 13まい, おにいさんから 24まい もらったので, みんなで 100まいに なりました。みおさんは, はじめに シールを なんまい もって いましたか。　〔10点〕

しき

_____ , _____

こたえ

5 バスに おきゃくさんが のって います。えきまえで 4人 おりて, 6人 のって きたので, おきゃくさんは ぜんぶで 20人に なりました。はじめに なん人 のって いましたか。 〔15点〕

しき

$$20 - 6 = 14$$

$$14 + 4 =$$

こたえ

6 つむぎさんの くみでは, 4月に ほかの 学校へ ともだちが 4人 うつって いきました。しかし 5月に あたらしく 6人 きたので, くみの 人数は 36人に なりました。はじめ, つむぎさんの くみの 人数は なん人でしたか。 〔15点〕

しき

_____

こたえ

7 いろがみが あります。きょう 20まい もらって, 10まい つかったので, いろがみは 15まいに なりました。はじめに いろがみは なんまい ありましたか。 〔15点〕

しき

$$15 + 10 = 25$$

$$25 - 20 =$$

こたえ

8 だいちさんは, きのう おかあさんから 50円 もらいました。きょう 40円 つかったので, ぜんぶで 130円に なりました。だいちさんは, はじめに なん円 もって いましたか。 〔15点〕

しき

_____

こたえ

©くもん出版

54

たし算に する しきと ひき算に する しきを まちがえないように, しきを つくろう。

とくてん　　てん

28 いろいろな もんだい ④

月　日　名まえ

はじめ 》
　じ　　ふん
》 おわり
　じ　　ふん

むずかしさ
★★★

1 　子どもが 1れつに ならんで います。さくらさんの まえに 5人，うしろに 7人 います。みんなで なん人 ならんで いますか。　　　〔10点〕

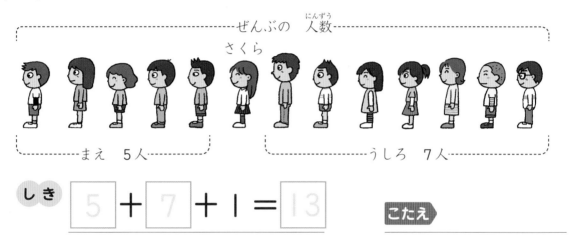

ぜんぶの 人数
さくら
まえ 5人　　うしろ 7人

しき　5 ＋ 7 ＋ 1 ＝ 13　　こたえ

2 　子どもが よこに 1れつに ならんで います。ひなたさんの 左には 11人，右には 9人 います。みんなで なん人 ならんで いますか。　　　〔15点〕

しき　11＋9＋1＝　　こたえ

3 　きっぷうりばの まえに，長い れつが できて います。かぞえて みたら，まきこさんの まえに 13人，うしろにも 13人 ならんで います。ぜんぶで なん人 ならんで いますか。　　　〔15点〕

しき　　　　　こたえ

4 ぼうしかけに ぼうしが かかって います。そうまさんの ぼうしの 左に 5つ, 右に 8つ かかって います。ぼうしは ぜんぶで いくつ ありますか。 〔15点〕

しき

こたえ

_____

5 いろえんぴつが 1れつに ならべて あります。赤い いろえんぴつの 右には 7本, 左には 12本 ならんで います。いろえんぴつは ぜんぶで なん本 ありますか。 〔15点〕

しき

こたえ

_____

6 子どもが 1れつに ならんで けんさを うけて います。はるきさんの まえの 6人までが おわりました。はるきさんの うしろに 7人 いるそうです。子どもは, ぜんぶで なん人 いますか。 〔15点〕

しき

こたえ

_____

7 本が つみかさねて あります。どうわの 本の 上に 8さつ, 下に 4さつ つんで あるそうです。本は ぜんぶで なんさつ ありますか。 〔15点〕

しき

こたえ

_____

わかりにくい ときは, ずを かいて かんがえて みよう。

とくてん

てん

29 いろいろな もんだい ⑤

月 日 名まえ

はじめ »
じ　ふん
» おわり
じ　ふん

むずかしさ
★★★

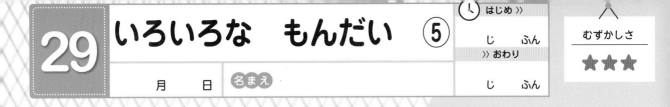

1 ぼうしかけに ぼうしが かかって います。なおみさんの ぼうしは 左から 7ばんめで, 右から かぞえると 5ばんめだそうです。ぼうしは ぜんぶで いくつ かかって いますか。〔10点〕

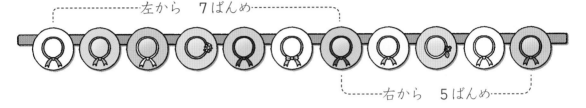

左から 7ばんめ

右から 5ばんめ

しき 7 + 5 − 1 =

こたえ

2 本立てに 本が ぎっしり ならんで います。イソップの 本は 左から 10さつめで, 右から かぞえると 18さつめだそうです。本立てには 本が なんさつ ならんで いますか。〔15点〕

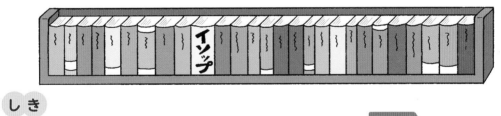

しき

こたえ

3 子どもが 1れつに ならんで います。かいとさんは まえから 8ばんめで, うしろから かぞえると 12ばんめだそうです。子どもは ぜんぶで なん人 いますか。〔15点〕

しき

こたえ

4　あさがおの　うえきばちが　11こ，1れつに　ならんで　います。ひかりさんの　はちは　左から　6ばんめです。ひかりさんの　はちは　右から　なんばんめですか。　〔15点〕

ひかり

しき　11－6＋1＝

こたえ

5　本だなに　本が　25さつ　あります。グリムの　どうわの　本は　左から　10さつめだそうです。グリムの　どうわの　本は　右から　かぞえると　なんさつめですか。　〔15点〕

しき

こたえ

6　子ども　18人が　1れつに　ならんで　います。ひろとさんは，まえから　7ばんめだそうです。ひろとさんは　うしろから　かぞえると　なんばんめに　なりますか。　〔15点〕

しき

こたえ

7　じんじゃに　80だんの　石だんが　あります。かずおさんは，下から　かぞえて　25だんめで　ひと休みして　います。かずおさんは　上から　かぞえて　なんだんめに　いますか。　〔15点〕

しき

こたえ

わかりにくい　ときは，ずを　かいて　かんがえて　みよう。

とくてん

てん

30 いろいろな もんだい ⑥

むずかしさ
★★★

はじめ >>
じ ふん
>> おわり
じ ふん

月　日　名まえ

1　子どもが 1れつに ならんで います。たけしさんは、まえから 7ばんめです。ゆうたさんは、たけしさんの 2人 まえに います。ゆうたさんは まえから なんばんめですか。　〔10点〕

ゆうた　　　　たけし

しき　7 - 2 =　　　　　　　　　**こたえ**

2　子どもが 1れつに ならんで います。みさきさんは、まえから 13ばんめに います。かえでさんは、みさきさんの 5人 まえに います。かえでさんは、まえから なんばんめですか。　〔10点〕

しき　　　　　　　　　　　　　**こたえ**

3　子どもが 1れつに ならんで います。はやとさんは 左から 12ばんめに います。ゆづきさんは、はやとさんの 3人 左に います。ゆづきさんは、左から なんばんめに いますか。　〔15点〕

しき　　　　　　　　　　　　　**こたえ**

4　子どもが 1れつに ならんで います。だいきさんは 左から 16ばんめに います。ほのかさんは、だいきさんの 5人 左に います。ほのかさんは、左から なんばんめに いますか。　〔15点〕

しき　　　　　　　　　　　　　**こたえ**

©くもん出版
59

5 子どもが 1れつに ならんで います。わかなさんは 右から 15ばんめに います。さゆりさんは，わかなさんの 6人 右に います。さゆりさんは，右から なんばんめに いますか。 〔10点〕

しき

こたえ

6 つくえの 上に 本が つんで あります。どうわの 本は，下から 9さつめに あります。まんがの 本は，どうわの 本の 2さつ 下に あります。まんがの 本は，下から なんさつめに ありますか。 〔10点〕

しき

こたえ

7 つくえの 上に 本が つんで あります。のりものの 本は，下から 7さつめに あります。どうぶつの 本は，のりものの 本の 3さつ 下に あります。どうぶつの 本は，下から なんさつめに ありますか。 〔10点〕

しき

こたえ

8 きみよさんは，9かいに すんで います。はるかさんは，きみよさんの 3かい 上に すんで います。はるかさんは，なんかいに すんで いますか。 〔10点〕

しき　9＋3＝

こたえ

9 よしおさんは，かいだんの 下から 13だんめに います。とうまさんは，よしおさんより 4だん 上に います。とうまさんは，下から なんだんめに いますか。 〔10点〕

しき

こたえ

わかりにくい ときは，ずを かいて かんがえて みよう。

とくてん

てん

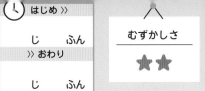

月　日　名まえ

1 みかんが 1さらに 2こずつ のって います。みかんの のった さらは 4さら あります。みかんは ぜんぶで なんこ ありますか。　　　〔10点〕

しき

1さらの みかんの 数		さらの 数		ぜんぶの みかんの 数
2	×	4	=	8

こたえ

2 1つの いすに 2人ずつ すわります。いすは ぜんぶで 8つ あります。なん人 すわれますか。　　　〔10点〕

しき

1つぶんの 人数		いすの 数		ぜんぶの 人数
2	×	8	=	

こたえ

3 3本ずつ 花を さして ある 花びんが 4つ あります。花は ぜんぶで なん本 ありますか。　　　〔10点〕

しき

1つぶんの 数		花びんの 数		ぜんぶの 数
3	×		=	

こたえ

4 1そうに 3人ずつ のった ボートが 5そう あります。ボートに のって いる 人は ぜんぶで なん人ですか。　　　〔10点〕

しき

1そうの 人数		ボートの 数		ぜんぶの 人数
	×		=	

こたえ

5 えんぴつを ひとりに 2本ずつ くばります。子どもは, ぜんぶで 9人 います。えんぴつは なん本 あれば よいですか。 〔10点〕

しき □ × □ = □ こたえ

6 1たばが 3本ずつの 花たばが あります。7たばでは 花は なん本 ありますか。 〔10点〕

しき 3 × 7 = こたえ

7 ももかさんの グループは, 2人ずつの チームが 3つ できます。ももかさんの グループは ぜんぶで なん人ですか。 〔10点〕

しき こたえ

8 3cmの テープの 2つぶんの 長さは なんcmですか。 〔10点〕

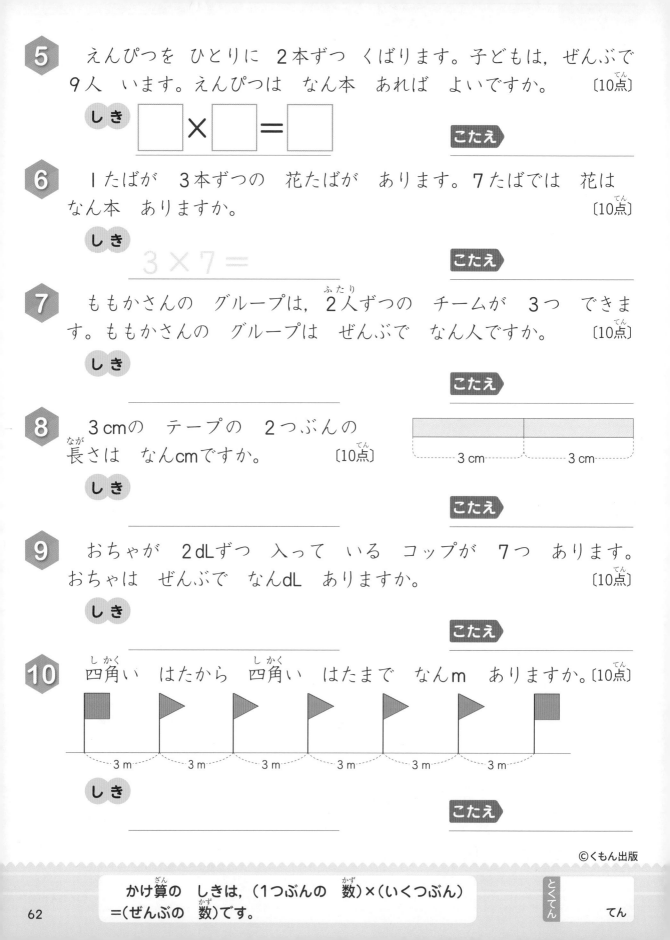

しき こたえ

9 おちゃが 2dLずつ 入って いる コップが 7つ あります。おちゃは ぜんぶで なんdL ありますか。 〔10点〕

しき こたえ

10 四角い はたから 四角い はたまで なんm ありますか。〔10点〕

しき こたえ

かけ算の しきは, (1つぶんの 数)×(いくつぶん)
=(ぜんぶの 数)です。

とくてん てん

32　かけ算　②

月　日　名まえ

はじめ ≫
じ　ふん
≫ おわり
じ　ふん

むずかしさ
★★

1　4人がけの　いすが　6つ　あります。ぜんぶで　なん人　すわる
ことが　できますか。　〔10点〕

しき　[　]×[　]=[　]　こたえ _____

2　みかんが　5こずつ　入った　ふくろが　7ふくろ　あります。
みかんは　ぜんぶで　なんこ　ありますか。　〔10点〕

しき　[　]×[　]=[　]　こたえ _____

3　ひとりに　あめを　4こずつ　くばります。子どもは　5人　います。
あめは　なんこ　あれば　よいですか。　〔10点〕

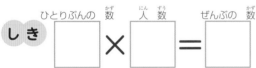

しき　[　]×[　]=[　]　こたえ _____

4　ひとりに　いろがみを　4まいずつ　くばります。子どもは　9人
います。いろがみは　なんまい　あれば　よいですか。　〔10点〕

しき _____　こたえ _____

5　5cmの　テープ　6つぶんの　長さは　なんcmですか。　〔10点〕

5 cm　5 cm　5 cm　5 cm　5 cm　5 cm

しき _____　こたえ _____

6 えんぴつが 5本ずつ 入った はこが 3はこ あります。えんぴつは ぜんぶで なん本 ありますか。 〔10点〕

しき

1はこの 本数	×	はこの 数	＝	ぜんぶの 本数

こたえ ＿＿＿＿＿＿＿＿＿

7 3つの はこに りんごが 5こずつ 入って います。りんごは ぜんぶで なんこ ありますか。 〔10点〕

しき

1はこの こ数	×	はこの 数	＝	ぜんぶの こ数

こたえ ＿＿＿＿＿＿＿＿＿

8 5本の びんに ぎゅうにゅうが 4dLずつ 入って います。ぎゅうにゅうは ぜんぶで なんdL ありますか。 〔10点〕

しき

1本の かさ	×	びんの 数	＝	ぜんぶの かさ

こたえ ＿＿＿＿＿＿＿＿＿

9 ひとりに 5本ずつ えんぴつを あげます。子どもは 8人 います。えんぴつは ぜんぶで なん本 あれば よいですか。〔10点〕

しき

＿＿＿＿＿＿＿＿＿＿＿＿＿＿＿＿＿ こたえ ＿＿＿＿＿＿＿＿＿

10 花だんの たての 長さは 4mです。よこの 長さは たての 長さの 3ばいです。よこの 長さは なんmですか。 〔10点〕

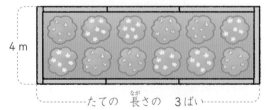

4m

たての 長さの 3ばい

しき

＿＿＿＿＿＿＿＿＿＿＿＿＿＿＿＿＿

こたえ ＿＿＿＿＿＿＿＿＿

かけ算の しきを つくる ときは，かける数と かけられる数を ぎゃくに しないように しよう。

とくてん ＿＿＿ てん

33

かけ算　③

月　日　名まえ

⏱ はじめ ≫

じ　ふん

≫ おわり

じ　ふん

むずかしさ

★ ★

1 おかしが 1はこに 6こずつ 入って います。4はこぶんでは, おかしは なんこ ありますか。　〔10点〕

しき

こたえ

2 テープを きって, 6cmの リボンを 3つ つくります。テープは ぜんぶで なんcm あれば よいですか。　〔10点〕

しき

こたえ

3 おはじきを ひとりに 7こずつ くばります。子どもは 5人 います。おはじきは ぜんぶで なんこ あれば よいですか。〔10点〕

しき

こたえ

4 1はこに 7本ずつ 入った サインペンが あります。4はこぶんでは, サインペンは なん本 ありますか。　〔10点〕

しき

こたえ

5 1しゅう間は, 7日です。3しゅう間は なん日に なりますか。

〔10点〕

しき

7月						
日	月	火	水	木	金	土
		1	2	3	4	5	6
7	8	9	10	11	12	13
14	15	16	17	18	19	20
21	22	23	24	25	26	27
28	29	30	31			

こたえ

©くもん出版

6 1そうに 6人 のれる ボートが 5そう あります。ぜんぶで なん人 のれますか。 〔10点〕

しき

こたえ

───────────────

7 ボートが 5そう あります。1そうに 6人ずつ のれます。ぜんぶで なん人 のれますか。 〔10点〕

しき ☐ ✕ ☐ = ☐

こたえ

8 子どもが 6人 います。ひとりに 7こずつ あめを くばります。あめは ぜんぶで なんこ あれば よいですか。 〔10点〕

しき

こたえ

───────────────

9 ジュースの 入った はこが 9はこ あります。1つの はこには ジュースが 6本ずつ 入って いるそうです。ジュースは ぜんぶで なん本 ありますか。 〔10点〕

しき

こたえ

───────────────

10 あつさが 7cmの れんがを 8だん かさねました。ぜんたいの あつさは なんcmに なりますか。 〔10点〕

しき

───────────────

こたえ

かける数と，かけられる数を 正しく しきに かけたか，もう いちど 見なおしを しよう。

とくてん

てん

34 かけ算 ④

はじめ ≫
　　　　じ　　ふん
≫ おわり
　　　　じ　　ふん

むずかしさ
★★

月　　日　名まえ

1　チョコレートを, ひとりに 8こずつ 5人に くばりました。くばった チョコレートは ぜんぶで なんこですか。〔10点〕

しき

こたえ

2　9人が 1チームで やきゅうを します。7チームでは なん人に なりますか。〔10点〕

しき

こたえ

3　きくの 花が, 8本で 1たばに なって います。3たばでは なん本 ありますか。〔10点〕

しき

こたえ

4　ろうかの 長さを 8mの ひもで はかったら, 6本ぶん ありました。ろうかの 長さは なんmですか。〔10点〕

しき

こたえ

5　1本 9cmの ほそい 竹の ぼうを, 4本 つかって 四角形を つくりました。この 四角形の まわりの 長さは なんcmですか。〔10点〕

しき

こたえ

9cm

6 高さ 8cmの はこを 7こ つみました。ぜんたいの 高さは なんcmですか。 〔10点〕

しき

こたえ

7 がようしを 5まい かいました。1まいの ねだんは 9円です。なん円 はらえば よいですか。 〔10点〕

しき □ × □ = □

こたえ

8 あおいさんの くみは ちょうど 4つの グループに わかれます。どの グループも 8人です。あおいさんの くみの 人数は なん人ですか。 〔10点〕

しき

こたえ

9 長いすが 9つ あります。1つの 長いすに 8人ずつ すわると, ぜんぶで なん人 すわれますか。 〔10点〕

しき

こたえ

10 ようかんが 3本 あります。1本の ようかんを 9こずつに きり, ひとりに 1こずつ くばります。なん人に くばる ことが できますか。 〔10点〕

しき

こたえ

かけ算の しきは,（1つぶんの 数）×（いくつぶん）=（ぜんぶの 数）です。

とくてん

てん

35

かけ算 ⑤

月　日　名まえ

はじめ 》
じ　ふん
》 おわり
じ　ふん

むずかしさ
★★

1 あらたさんの くみでは ときょうそうを するので, 6人ずつの グループを つくったら, ちょうど 6つの グループが できました。あらたさんの くみの 人数は なん人ですか。　〔10点〕

しき

こたえ

2 おさらが 4まい あります。1まいの おさらに, くりが 8こ ずつ のって います。くりは ぜんぶで なんこ ありますか。　〔10点〕

しき 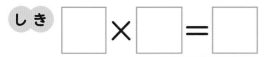 ☐ × ☐ = ☐

こたえ

3 えんぴつを ひとりに 6本ずつ あげようと おもいます。子ど もは 7人 います。えんぴつは ぜんぶで なん本 あれば よい ですか。　〔10点〕

しき

こたえ

4 ジュースを ひとりに 3dLずつ コップに 入れて いきます。 8人の 子どもに あげるには, ジュースは なんdL ようい すれ ば よいですか。　〔10点〕

しき

こたえ

5 はこが 3つ あります。1つの はこに せっけんが 6こ 入ります。せっけんは ぜんぶで なんこ 入りますか。　〔10点〕

しき

こたえ

6 三角の いろいたを ならべて，下の ずのような もようを 5つ つくります。いろいたは ぜんぶで なんまい あれば よい ですか。 〔10点〕

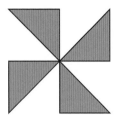

しき

こたえ

7 同じ 長さの テープを 8本 つなげて ならべました。 1本の テープの 長さは 7cmだそうです。ぜんたいの 長さは なんcmに なりますか。 〔10点〕

しき

こたえ

8 4人ずつの はんを つくったら，ちょうど はんが 9つ でき ました。みんなで なん人 いますか。 〔10点〕

しき

こたえ

9 3mずつ はなれて，はたが 8本 立って います。1ばんの はたから 8ばんの はたまで なんm はなれて いますか。〔10点〕

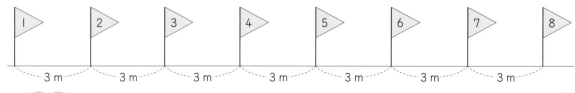

しき

こたえ

10 きくの 花を 5本で 1たばに します。9たば できました。 きくの 花は ぜんぶで なん本 ありますか。 〔10点〕

しき

こたえ

かける数と，かけられる数を 正しく しきに かけ たか，もう いちど 見なおしを しよう。

とくてん

てん

月　日　名まえ

1 　１まい　５円の　きってを　６まいと，50円の　きってを　１まい　かいました。ぜんぶで　なん円　はらえば　よいですか。〔1もん　5点〕

① ６まいの　５円の　きっての　だい金は　なん円ですか。

しき　□ × □ = □　　こたえ

② ぜんぶで　なん円　はらえば　よいですか。

しき　□ + □ = □　　こたえ

2 　いろがみを　８まいずつ　７人の　子どもに　くばったら，４まい　あまりました。いろがみは　ぜんぶで　なんまい　ありましたか。〔10点〕

しき　□ × □ = □

　　　□ + □ = □　　こたえ

3 　１まい　９円の　がようしを　６まいと，30円の　のりを　１こ　かいました。ぜんぶで　なん円ですか。〔10点〕

しき

_____

こたえ

4 　70円の　ガム　１こと，１こ　５円の　あめを　６こ　かいました。ぜんぶで　なん円ですか。〔10点〕

しき

_____

こたえ

⑤ 1チームが 9人ずつの 2チームで やきゅうを して います。おうえんを して いる 子どもは 24人です。子どもは みんなで なん人 いますか。 〔10点〕

しき

_____

こたえ

⑥ みかんを ひとりに 2こずつ，9人に くばったら 5こ あまりました。みかんは ぜんぶで なんこ ありましたか。 〔10点〕

しき

_____

こたえ

⑦ ケーキを 9こ 入る はこに つめて いくと，5はこ できて 6こ のこりました。ケーキは ぜんぶで なんこ ありますか。

しき 〔10点〕

_____

こたえ

⑧ 1しゅう間は 7日です。こん月は，あと 2しゅう間と 3日 あるそうです。こん月は，あと なん日 ありますか。 〔15点〕

しき

_____

こたえ

⑨ 長いすが 7つ あります。子どもが 1つの いすに 5人ずつ すわって います。まだ すわって いない 子どもが 3人 います。子どもは ぜんぶで なん人 いますか。 〔15点〕

しき

_____

こたえ

もんだいを よく よんで，じゅんばんに しきを かんがえて いこう。

とくてん

てん

かけ算 ⑦

月　日　名まえ

はじめ »
じ　ふん
» おわり
じ　ふん

むずかしさ
★★

1　かのんさんは, おばさんから 6まい入りの ガムを 5つ もらいました。いもうとに 8まい あげました。ガムは なんまい のこって いますか。〔ぜんぶ できて 10点〕

① おばさんから もらった ガムは なんまいですか。

しき　□×□=□　　こたえ＿＿＿＿＿

② ガムは なんまい のこって いますか。

しき　□-□=□　　こたえ＿＿＿＿＿

2　7こ入りの みかんの ふくろが 4ふくろ あります。8こ たべました。みかんは なんこ のこって いますか。〔10点〕

しき　□×□=□
　　　□-□=□　　こたえ＿＿＿＿＿

3　はやとさんは, 80円 もって います。1まい 8円の シールを 7まい かいました。お金は なん円 のこって いますか。〔10点〕

しき

＿＿＿＿＿＿＿＿＿＿

こたえ＿＿＿＿＿

4　1まい 5円の いろがみを 7まい かいます。50円玉を 1まい 出すと, おつりは なん円に なりますか。〔10点〕

しき

＿＿＿＿＿＿＿＿＿＿

こたえ＿＿＿＿＿

5 ゆうまさんは おはじきを 60こ もって います。ともだち 9人に 4こずつ あげると, のこりは なんこですか。 〔15点〕

しき

_____ , _____

こたえ

6 水そうに 水が 50L 入って います。バケツで 6Lずつ 5かい 水を くみだしました。水そうの 中には 水が なんL のこりますか。 〔15点〕

しき

_____ , _____

こたえ

7 みかんを ひとりに 3こずつ, 7人に くばりました。ひとりに 5こずつ くばるには, あと なんこ あれば よいですか。

〔ぜんぶ できて 15点〕

① 5こずつ くばるには, ひとりに なんこずつ たりないですか。

しき □ − □ = □   **こたえ**

② 7人に 5こずつ くばるには, あと なんこ あれば よいですか。たりない ぶんに 人数を かけて もとめましょう。

しき □ × □ = □   **こたえ**

8 おはじきを ひとりに 4こずつ, 5人に くばりました。ひとりに 6こずつ くばるには, あと なんこ あれば よいですか。ひとりに なんこ たりないかを かんがえて もとめましょう。〔15点〕

しき

_____

こたえ

© くもん出版

かける数と, かけられる数を 正しく しきに かけた かな。かきおわったら, 見なおしを しよう。

とくてん　　　てん

74

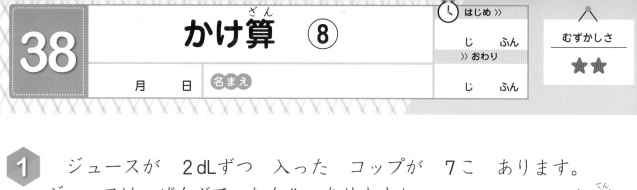

38 かけ算 ⑧

月　日　名まえ

はじめ ≫
じ　ふん
≫ おわり
じ　ふん

むずかしさ
★★

1 ジュースが　2dLずつ　入った　コップが　7こ　あります。ジュースは　ぜんぶで　なんdL　ありますか。　〔10点〕

しき

こたえ

2 4人ずつの　はんを　つくったら，ちょうど　8はん　できました。みんなで　なん人　いますか。　〔10点〕

しき

こたえ

3 さらが　7まい　あります。1まいの　さらに，いちごが　9こずつ　のって　います。いちごは　ぜんぶで　なんこ　ありますか。　〔10点〕

しき

こたえ

4 5人の　子どもに　リボンを　くばります。ひとりに　8cmずつ　くばるには，リボンは　ぜんぶで　なんcm　あれば　よいですか。〔10点〕

しき

こたえ

5 玉入れを　して　います。そうたさんは　2点の　ところに　9こ　入れたそうです。そうたさんの　とく点は　なん点ですか。　〔10点〕

しき

こたえ

6 4mずつ はなれて, はたが 7本 立って います。1ばんから 7ばんの はたまで なんm ありますか。 〔10点〕

| 1 | 2 | 3 | 4 | 5 | 6 | 7 |

4m 4m 4m 4m 4m 4m

しき

こたえ

_____

7 おかしを ひとりに 3こずつ, 7人に くばりました。おかしは まだ 4こ のこって います。おかしは なんこ ありましたか。 〔10点〕

しき

_____ , _____

こたえ

8 40円の けしゴム 1ことと, 1まい 5円の いろがみを 8まい かいました。ぜんぶで なん円ですか。 〔10点〕

しき

_____ , _____

こたえ

9 どんぐりが 65こ あります。ひとりに 7こずつ, 8人に あげました。どんぐりは なんこ のこって いますか。 〔10点〕

しき

_____ , _____

こたえ

10 あめを ひとりに 3こずつ, 5人に くばりました。ひとりに 5こずつ くばるには, あめは あと なんこ あれば よいですか。ひとりに なんこ たりないかを かんがえて もとめましょう。 〔10点〕

しき

_____ , _____

こたえ

©くもん出版

いままでの かけ算の まとめだよ。こたえを かき おわったら, 見なおしを しよう。

とくてん　　　てん

39 かけ算 ⑨

⏱ はじめ ≫
　　じ　　ふん
≫ おわり
　　じ　　ふん

月　日　名まえ

むずかしさ
★★

1 ボールが 3こずつ 入る はこが 7はこ あります。ボールは ぜんぶで なんこ 入りますか。かけ算の ひょうを 見ながら こたえましょう。

〔ぜんぶ できて 20点〕

かける数

かけられる数	3	1	2	3	4	5	6	7	8	9
		3	6	9	12	15	18	21	24	27

☐ ずつ ふえる

① ☐に 入る 数を かきましょう。

② しきを かきましょう。　しき ＿＿＿＿＿＿

③ こたえを かきましょう。　こたえ ＿＿＿＿＿＿

2 ケーキが 4こずつ 入る はこが 11はこ あります。ケーキは ぜんぶで なんこ 入りますか。かけ算の ひょうを 見ながら こたえましょう。

〔ぜんぶ できて 30点〕

かける数

かけられる数	4	1	2	3	4	5	6	7	8	9	10	11	12
		4	8	12	16	20	24	28	32	36	40		

☐ ずつ ふえる

① ☐に 入る 数を かきましょう。

② ひょうの あいて いる ところに 数を かきましょう。

③ しきを かきましょう。　しき ＿＿＿＿＿＿

④ こたえを かきましょう。　こたえ ＿＿＿＿＿＿

©くもん出版

3 ケーキが 2こずつ 入る はこが いくつか あります。

〔ぜんぶ できて 30点〕

		かける数											
		1	2	3	4	5	6	7	8	9	10	11	12
かけられる数	2	2	4	6	8	10	12	14	16	18			

① ひょうの あいて いる ところに 数を かきましょう。

② はこが 9はこ あるとき, ぜんぶで なんこの ケーキが 入りますか。

しき

こたえ

③ はこが 10ぱこ あるとき, ぜんぶで なんこの ケーキが 入りますか。

しき

こたえ

④ はこが 12はこ あるとき, ぜんぶで なんこの ケーキが 入りますか。

しき

こたえ

4 たいいくかんに 6人 すわれる いすが 12こ あります。ぜんぶで なん人が すわる ことが できますか。 〔10点〕

しき

こたえ

5 あんなさんは あめが 8こ 入った ふくろを 12ふくろ もって います。ぜんぶで なんこの あめを もって いますか。〔10点〕

しき

こたえ

©くもん出版

こたえを かきおわったら, 見なおしを しよう。まちがいが 少なくなるよ。

とくてん　　てん

78

かけ算　⑩

はじめ ≫

じ　ふん

≫ おわり

じ　ふん

むずかしさ

★★★

月　日　名まえ

1　①～③の　もんだいと　こたえが　同じ　数に　なる　ものを，下の　⑦～⑨から　えらんで，きごうを　かきましょう。〔1もん　10点〕

① はとが　5わ　入った　かごが　4つ　あります。はとは　ぜんぶで　なんわ　いますか。

しき

きごう

② ボールが　2こずつ　入った　はこが　5はこ　あります。ボールは　ぜんぶで　なんこ　ありますか。

しき

きごう

③ あめが　7こずつ　入った　ふくろが　4ふくろ　あります。ぜんぶで　あめは　なんこ　ありますか。

しき

きごう

---

⑦ 4人ずつ　すわって　いる　ベンチが　5つ　あります。ぜんぶで　なん人が　すわって　いますか。

④ 4こずつ　ケーキが　入った　はこが　7はこ　あります。ぜんぶで　ケーキは　なんこ　ありますか。

⑨ りんごが　5こ　のった　さらが　2さら　あります。りんごは　ぜんぶで　なんこ　ありますか。

かけ算は，かけられる数とかける数を入れかえてもこたえは　同じに　なるね。

2 ペットボトルが 12本 入った ケースが 2ケース あります。
ぜんぶで なん本の ペットボトルが ありますか。

〔ぜんぶ できて 30点〕

① □に あてはまる 数を かきましょう。

$$12 \times 2 = \boxed{} \times 12$$

② しきを かきましょう。　　**しき** 12×2＝24

③ こたえを かきましょう。　　**こたえ** 　　　　本

---

3 りくとさんは 1はこ 12本入りの えんぴつを 4はこ もって
います。りくとさんは えんぴつを ぜんぶで なん本 もって
います。 〔ぜんぶ できて 20点〕

① しきを かきましょう。　　**しき**

② こたえを かきましょう。　　**こたえ**

---

4 2年生 ぜんいんで 1チーム 11人の サッカーチームを
つくったら ちょうど 7チーム できました。2年生は ぜんぶで
なん人ですか。 〔10点〕

しき

こたえ

---

5 学校には 子どもが 12人 すわれる 長い ベンチが 3つ
あります。なん人の 子どもが すわる ことが できますか。〔10点〕

しき

こたえ

©くもん出版

つぎは しんだんテストだよ。いままでに まちがえた
もんだいは，もう いちど ふくしゅうして おこう。

とくてん　　　てん

1 りょうたさんは　こうさくで　8cm5mmの　竹ひごと　6cmの
竹ひごを　つなぎました。なんcmなんmmに　なりましたか。〔10点〕

しき

こたえ

_____

2 ミルクが　1つの　ビンに　1L2dL　入って　います。もう
1つの　ビンには　1L5dL　入って　います。ミルクは　ぜんぶで
なんLなんdL　ありますか。〔10点〕

しき

こたえ

_____

3 こうきさんは　午前8時15分から　40分　さんぽを　しました。
さんぽを　おえた　時こくは　午前なん時なん分ですか。〔10点〕

こたえ

4 バスに　おきゃくさんが　28人　のって　いました。学校まえで
9人　おり, つぎの　えきまえで　5人　おりました。おきゃくさん
は　なん人に　なりましたか。〔10点〕

しき

こたえ

_____

5 あんさんが,「あと　65円　あったら,150円の　おかしが　かえる」
と, いいました。あんさんは　なん円　もって　いますか。〔10点〕

しき

こたえ

_____

6 さくらさんは 141この おはじきを もって います。ゆいさん に 28こ, りほさんに 32こ あげました。さくらさんの おはじ きは なんこ 少なく なりましたか。 〔10点〕

しき

こたえ

7 たいちさんは 120円, さきさんは 80円 もって います。ふた りは それぞれ 50円の ノートを かいました。ふたりの のこり の お金の ちがいは なん円ですか。 〔10点〕

しき

こたえ

8 子ども 25人が 1れつに ならんで います。とおるさんは まえから 6ばんめです。とおるさんは うしろから かぞえると なんばんめに なりますか。 〔10点〕

しき

こたえ

9 1まい 6円の がようし 8まいと, 50円の のりを 1こ かいました。ぜんぶで なん円ですか。 〔10点〕

しき _____,_____

こたえ

10 えんぴつが 60本 あります。8人の 子どもに 5本ずつ くば ると, えんぴつは なん本 のこりますか。 〔10点〕

しき _____,_____

こたえ

まちがえた ところは, もう いちど やりなおして, 100点に したら おしまいだよ。

とくてん ___ てん

42 しんだん テスト ②

月　日　名まえ

はじめ 》
じ　　ふん
》 おわり
じ　　ふん

1 2m80cmの ロープから 65cmを きりとると なんmなんcm
のこりますか。　〔10点〕

しき

こたえ

2 ジュースが ペットボトルに 800mL 入って います。このうち
300mLを のみました。ペットボトルに のこって いる ジュース
は なんmLですか。　〔10点〕

しき

こたえ

3 しんじさんは 40分間 どくしょを しました。どくしょを おえ
た 時こくは 午後4時50分でした。どくしょを はじめた 時こく
は 午後なん時なん分ですか。　〔10点〕

こたえ

4 みかんが 40こ ありました。きのう 8こ, きょう 7こ たべ
ました。みかんは なんこ のこって いますか。　〔10点〕

しき

こたえ

5 あゆむさんは, きのう どんぐりを 65こ ひろいました。きょう
また ひろったので, ぜんぶで 122こに なりました。きょうは
なんこ ひろいましたか。　〔10点〕

しき

こたえ

6 いちかさんは，200円 もって います。おこづかいを おかあさんから 80円，おじいさんから 90円 もらいました。もって いる お金は なん円 ふえましたか。 〔10点〕

しき

こたえ

7 しょうたさんは きのう おとうさんから 120円 もらいました。きょう 80円 つかったので，もって いる お金は 200円に なりました。しょうたさんは はじめ なん円 もって いましたか。 〔10点〕

しき

こたえ

8 おはじきが １れつに ならんで います。赤い おはじきの 左には 5こ，右には 8この おはじきが あります。おはじきは ぜんぶで なんこ ありますか。 〔10点〕

しき

こたえ

9 ボールを 6こ 入る はこに つめると 8はこ できて 4こ あまりました。ボールは ぜんぶで なんこ ありましたか。 〔10点〕

しき

こたえ

10 ゆづきさんは 200円の ケーキと，100円の シュークリームを １こずつ かって，1000円 はらいました。おつりは なん円に なりますか。 〔10点〕

しき

こたえ

©くもん出版

わからなかった ところは，まえの ほうの ページ を 見なおして みよう。

とくてん

てん

※〔　〕は，ほかの　しきの　立て方や　こたえ方です。

1　1年生の　ふくしゅう　1・2ページ

1　3＋4＝7　　こたえ　7本

2　9－6＝3　　こたえ　3こ

3　7＋5＝12　　こたえ　12人

4　18－7＝11　　こたえ　めだかの
　　ほうが　11ぴき　多い。

5　15＋4＝19　　こたえ　19まい

6　40＋20＝60　　こたえ　60まい

7　70－20＝50　　こたえ　50こ

8　100－90＝10　　こたえ　10こ

9　4＋3＋6＝13　　こたえ　13人

10　14－9＝5　　こたえ　5ばんめ

ポイント
「みんなで」「ぜんぶで」は　たし算の
ばめんの　ことばです。

ときかた

4　数の　ちがいを　もとめるので，し
きは　ひき算に　なります。

9　バスに　のって　いる　おきゃくさ
んは　ふえて　いるので　たし算です。
はじめの　数（4）に，のった　数
（3，6）を　たします。

10　ぜんぶの　人数の　14人から，さ
おりさんの　うしろに　いる　9人を
ひいて　もとめます。

2　たし算と　ひき算　①　3・4ページ

1　20＋30＝50　　こたえ　50ページ

2　70＋80＝150　　こたえ　150円

3　18＋3＝21　　こたえ　21人

4　21－3＝18　　こたえ　18人

5　36＋8＝44　　こたえ　44こ

6　25－6＝19　　こたえ　19まい

7　45＋8＝53　　こたえ　53こ

8　43－7＝36　　こたえ　36こ

9　26＋7＝33　　こたえ　33びき

10　24－9＝15　　こたえ　15ひき

3　たし算と　ひき算　②　5・6ページ

1　15＋17＝32　　こたえ　32わ

2　26－17＝9　　こたえ　9まい

3　24＋16＝40　　こたえ　40ぱ

4　24－18＝6　　こたえ　6とう

5　38＋14＝52　　こたえ　52本

6　40－35＝5　　こたえ　5さつ

7　36－28＝8　　こたえ　8こ

8　65＋35＝100　　こたえ　100こ

9　32－18＝14　　こたえ　14こ

10　46＋77＝123　　こたえ　123まい

ポイント

「いくつ のこって いますか。」「ちがいは いくつですか。」は ひき算でもとめます。

ときかた

1　「ぜんぶで なんわ」なので，しきは たし算です。ひっ算で 計算するときは，くらいを たてに そろえてかきます。

6　ちがいを もとめるので ひき算です。ずに かいて みると，どんな計算か わかりやすく なります。

```
┌─────── 子ども　40人 ───────┐
├──────────────────────────┤
│                          │
├────────────────────┐     │
│                    │ □   │
└─── ノート　35さつ ──┘─────┘
          たりない ノート □さつ
```

ときかた

1　あたらしく かうと 数が ふえるので，しきは たし算に なります。

2　のこりの 数を もとめるので，しきは ひき算に なります。

4　たし算と ひき算 ③　7・8ページ

1　400＋200＝600　こたえ　600まい

2　500－300＝200　こたえ　200本

3　600＋100＝700　こたえ　700まい

4　700－200＝500　こたえ　500こ

5　120＋43＝163　こたえ　163人

6　125＋42＝167　こたえ　167さつ

7　128＋3＝131　こたえ　131本

8　128＋53＝181　こたえ　181ページ

9　204＋86＝290　こたえ　290人

10　324＋38＝362　こたえ　362ひき

5　たし算と ひき算 ④　9・10ページ

1　12－5＝7　こたえ　きんぎょのほうが 7ひき 多い。

2　12－7＝5　こたえ　りんごのほうが 5こ 少ない。

3　25－18＝7　こたえ　きつねのほうが 7ひき 多い。

4　62－45＝17　こたえ　さきさんのほうが 17かい 多い。

5　80－74＝6　こたえ　白い 玉のほうが 6こ 少ない。

6　189－75＝114　こたえ　2年生のほうが 114人 少ない。

7　245－32＝213　こたえ　どうわの本の ほうが 213さつ 少ない。

8　108－96＝12　こたえ　おとなのほうが 12人 多い。

9　120－95＝25　こたえ　赤い ばらの ほうが 25本 多い。

10　114－98＝16　こたえ　れんさんのほうが 16わ 少ない。

6　長さの もんだい ① 11・12ページ

1　5 cm＋4 cm＝9 cm　**こたえ**　9 cm

2　6 cm＋8 cm＝14cm　**こたえ**　14cm

3　16cm＋14cm＝30cm　**こたえ**　30cm

4　5 m＋7 m＝12m　**こたえ**　12m

5　8 m＋11m＝19m　**こたえ**　19m

6　16cm－12cm＝4 cm　**こたえ**　4 cm

7　18cm－11cm＝7 cm　**こたえ**　7 cm

8　25cm－13cm＝12cm　**こたえ**　12cm

9　12m－8 m＝4 m　**こたえ**　4 m

10　42m－14m＝28m　**こたえ**　28m

7　長さの もんだい ② 13・14ページ

1　7cm6mm＋8cm2mm＝15cm8mm

　　こたえ　15cm 8 mm

2　①15cm6mm＋12cm3mm＝27cm9mm

　　こたえ　27cm 9 mm

　②4m50cm＋3m40cm＝7m90cm

　　こたえ　7 m90cm

　③6cm4mm＋5cm＝11cm 4 mm

　　こたえ　11cm 4 mm

　④15cm4mm＋5mm＝15cm9mm

　　こたえ　15cm 9 mm

　⑤1m25cm＋15cm＝1m40cm

　　こたえ　1 m40cm

　⑥11cm＋8mm＝11cm8mm

　　こたえ　11cm 8 mm

3　15cm8mm－7cm6mm＝8cm2mm

　　こたえ　8 cm 2 mm

4　①20cm7mm－8cm4mm＝12cm3mm

　　こたえ　12cm 3 mm

　②4m65cm－2m15cm＝2m50cm

　　こたえ　2 m50cm

　③6m42cm－3m20cm＝3m22cm

　　こたえ　3 m22cm

　④12cm9mm－8mm＝12cm1mm

　　こたえ　12cm 1 mm

　⑤14cm7mm－10cm＝4cm7mm

　　こたえ　4 cm 7 mm

　⑥2m70cm－45cm＝2m25cm

　　こたえ　2 m25cm

8　かさの もんだい ① 15・16ページ

1. $4L + 2L = 6L$　こたえ 6L
2. $5L + 3L = 8L$　こたえ 8L
3. $3L - 2L = 1L$　こたえ 1L
4. $7L - 5L = 2L$　こたえ 2L
5. $8L + 4L = 12L$　こたえ 12L
6. $15L + 9L = 24L$　こたえ 24L
7. $23L - 8L = 15L$　こたえ 15L
8. $6L + 2L + 2L = 10L$　こたえ 10L
9. $10L - 4L - 2L = 4L$　こたえ 4L
10. $4L - 3L + 5L = 6L$　こたえ 6L

9　かさの もんだい ② 17・18ページ

1. $3dL + 2dL = 5dL$　こたえ 5dL
2. $8dL - 5dL = 3dL$　こたえ 3dL
3. $1L4dL + 5dL = 1L9dL$　こたえ 1L9dL
4. $3L7dL - 4dL = 3L3dL$　こたえ 3L3dL
5. $2L6dL - 1L3dL = 1L3dL$　こたえ 1L3dL
6. $3L4dL + 5L2dL = 8L6dL$　こたえ 8L6dL
7. $700mL + 200mL = 900mL$　こたえ 900mL
8. $400mL - 300mL = 100mL$　こたえ 100mL
9. $1L8dL + 1L5dL = 3L3dL$　こたえ 3L3dL
10. $5L8dL - 2L6dL = 3L2dL$　こたえ 3L2dL

1 10分 2 20分 3 20分

4 40分〔40分間〕

5 15分〔15分間〕

6 10分〔10分間〕

7 15分〔15分間〕

8 15分〔15分間〕

9 10分〔10分間〕

10 30分〔30分間〕

ポイント

長い はりが 1めもり すすむと 1分です。とけいの ずが ない もんだいは, 1や 2の とけいを つかってかんがえましょう。

ときかた

1 長い はりが 10めもり すすんで いるので, 10分です。

7 長い はりが 15めもり すすむので, 15分です。

※長い はりが 1めもり うごく
時間を 1分と いいます。
時間の 1分の ことを 1分間とも
いいます。

1 1時間 2 2時間 3 2時間

4 3時間 5 2時間 6 3時間

7 4時間 8 1時間 9 2時間

10 5時間

ポイント

長い はりが 1まわりすると 1時間です。長い はりが 1まわりする あいだに みじかい はりは つぎの 数字まで すすんで います。

ときかた

1 みじかい はりは 4から 5まで
すすんで いるので, 長い はりは
1まわりして います。

5 みじかい はりは 10から 12ま
で すすむので, 長い はりは 2ま
わりします。

※お昼の 12時には
・午前12時(午前11時の 1時間あと)
・午後0時(午後1時の 1時間まえ)
・正午 (とくべつな 言い方)
の 3とおりの 言い方が あります。

1 午前8時10分 2 午後4時30分

3 午後3時30分 4 午前10時45分

5 午後4時50分 6 午前9時55分

7 午前10時 8 午前11時

9 午後5時 10 午後5時

13　時こくと 時間 ④　25・26ページ

1　午前8時50分　　2　午前8時45分

3　午前9時45分　　4　午後4時30分

5　午前7時20分　　6　午後4時20分

7　午後3時10分　　8　午後4時

9　午後3時　　　　10　午後2時15分

14　時こくと 時間 ⑤　27・28ページ

1　40分　　2　50分

3　25分〔25分間〕　　4　45分〔45分間〕

5　55分〔55分間〕　　6　28分〔28分間〕

7　19分〔19分間〕　　8　40分〔40分間〕

9　50分〔50分間〕　　10　50分〔50分間〕

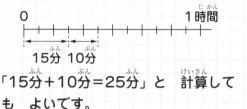
15　たし算と ひき算 ⑤　29・30ページ

1　4＋5＝9　　こたえ　9人

2　6＋3＝9　　こたえ　9わ

3　3＋5＝8　　こたえ　8わ

4　9－4＝5　　こたえ　5人

5　8－3＝5　　こたえ　5人

6　①2＋3＝5　　こたえ　5わ

　②16－5＝11　　こたえ　11わ

7　①5＋3＝8　　こたえ　8こ

　②18－8＝10　　こたえ　10こ

8　①4＋3＝7

　②18＋7＝25　　こたえ　25人

16　たし算と ひき算 ⑥ 31・32ページ

1　①4＋5＝9　　こたえ 9こ
　②20－(4＋5)＝11
　　　　　　　　　　こたえ 11こ

2　100－(30＋60)＝10
　　　　　　　　　　こたえ 10円

3　40－(15＋9)＝16　こたえ 16まい

4　30－(8＋6)＝16　こたえ 16人

5　19－(5＋4)＝10　こたえ 10ぱ

6　35－(10＋8)＝17　こたえ 17本

7　20－(6＋6)＝8　　こたえ 8こ

8　50－(9＋8)＝33　こたえ 33こ

ポイント
( ) を つかった しきの もんだい
です。まずは, ( ) の 中に 入る
しきを かんがえましょう。

ときかた

5　まずは, とんで いった すずめの
数を もとめる しきを かんがえま
す。とんで いった すずめの 数を
あわせるので, ( ) の 中に 入る
しきは たし算に なります。

17　たし算と ひき算 ⑦ 33・34ページ

1　5＋3＝8　　こたえ 8まい

2　6＋4＝10　　こたえ 10本

3　5＋2＝7　　こたえ 7こ

4　8＋5＝13〔5＋8＝13〕
　　　　　　　　　　こたえ 13こ

5　20＋38＝58〔38＋20＝58〕
　　　　　　　　　　こたえ 58まい

6　75＋85＝160〔85＋75＝160〕
　　　　　　　　　　こたえ 160ページ

7　95＋35＝130〔35＋95＝130〕
　　　　　　　　　　こたえ 130円

8　75＋25＝100〔25＋75＝100〕
　　　　　　　　　　こたえ 100まい

9　2m30cm＋60cm＝2m90cm
　〔60cm＋2m30cm＝2m90cm〕
　　　　　　　　　　こたえ 2m90cm

10　35＋85＝120〔85＋35＝120〕
　　　　　　　　　　こたえ 120こ

ポイント
もんだいを ずに あらわして かんが
えます。

ときかた

ずから たし算を つかえば よい
ことが わかります。

4

はじめの 数
たべた 5こ　のこりの 8こ

9
はじめの 長さ
のこりの 2m30cm
つかった 60cm

18	たし算と ひき算 ⑧	35・36ページ

1　10−6＝4　　こたえ　4 わ

2　8−5＝3　　こたえ　3 まい

3　7−2＝5　　こたえ　5 本

4　9−5＝4　　こたえ　4 こ

5　12−10＝2　　こたえ　2 ひき

6　14−8＝6　　こたえ　6 まい

7　24−8＝16　　こたえ　16 わ

8　150−80＝70　　こたえ　70 円

9　30m−7m＝23m　　こたえ　23m

10　100−64＝36　　こたえ　36 こ

ときかた

　ずから ひき算を つかえば よい
ことが わかります。

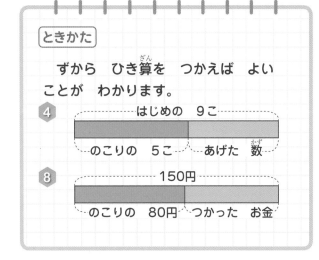

4　はじめの 9こ
　のこりの 5こ　あげた 数

8　150円
　のこりの 80円　つかった お金

19	たし算と ひき算 ⑨	37・38ページ

1　8−5＝3　　こたえ　3 まい

2　10−6＝4　　こたえ　4 人

3　12−4＝8　　こたえ　8 そう

4　30L−10L＝20L　こたえ　20L

5　64−28＝36　　こたえ　36 わ

6　72−35＝37　　こたえ　37 ページ

7　52−27＝25　　こたえ　25 こ

8　1000−400＝600

　　　　　　　　こたえ　600 円

9　120−30＝90　　こたえ　90 こ

10　141−87＝54　　こたえ　54 こ

ときかた

　ずから ひき算を つかえば よい
ことが わかります。

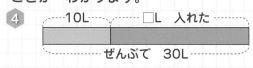

4　10L　□L 入れた
　ぜんぶて 30L

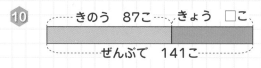

10　きのう 87こ　きょう □こ
　ぜんぶて 141こ

1　9 － 4 ＝ 5　　こたえ　5 こ
2　10 － 3 ＝ 7　　こたえ　7 ひき
3　8 － 3 ＝ 5　　こたえ　5 わ
4　280 － 80 ＝ 200　こたえ　200円
5　23 － 5 ＝ 18　　こたえ　18 ひき
6　25 － 9 ＝ 16　　こたえ　16 わ
7　38 － 16 ＝ 22　こたえ　22 人
8　65 － 37 ＝ 28　こたえ　28 ページ
9　242 － 29 ＝ 213　こたえ　213 人
10　2 L 7 dL － 1 L 3 dL ＝ 1 L 4 dL

こたえ　1 L 4 dL

ときかた

ずから ひき算を つかえば よい
ことが わかります。

4　　はじめの お金　　もらった
　　　　□円　　　　　80円
　　　ぜんぶで　280円

10　はじめの おちゃ　　もらった
　　　□L□dL　　　　1L3dL
　　　ぜんぶで　2L7dL

かさは 同じ たんいどうして 計
算します。

1　9 ＋ 7 ＝ 16〔7 ＋ 9 ＝ 16〕

こたえ　16 こ

2　20 ＋ 12 ＝ 32〔12 ＋ 20 ＝ 32〕

こたえ　32 まい

3　16 － 7 ＝ 9　こたえ　9 わ
4　45 － 6 ＝ 39　こたえ　39 まい
5　16m － 4 m ＝ 12m

こたえ　12m

6　17 － 9 ＝ 8　こたえ　8 本
7　30 － 16 ＝ 14　こたえ　14 こ
8　1000 － 200 ＝ 800

こたえ　800円

9　82 － 35 ＝ 47　こたえ　47 まい
10　120 － 45 ＝ 75　こたえ　75円

ポイント

もんだいを ずに あらわして，しきが
たし算か ひき算か かんがえます。

ときかた

1　　　　　はじめの 数
　　　たべた　7 こ　　のこりの　9 こ

3　　　　　はじめの 16 わ
　　のこりの　7 わ　　出て いった 数

6　　赤　9 本　　　きいろ　□本
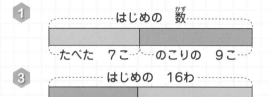
　　　　ぜんぶで　17 本

1　100−60=40　**こたえ**　40円

2　90−40=50　**こたえ**　50円

3　80−25=55　**こたえ**　55円

4　800mL−200mL=600mL

　　　　　　　こたえ　600mL

5　95cm−28cm=67cm

　　　　　　　こたえ　67cm

6　140−60=80　**こたえ**　80円

7　124−96=28　**こたえ**　28まい

8　348−25=323

　　　　　　　こたえ　323まい

9　600−400=200

　　　　　　　こたえ　200円

ポイント
もんだいを ずに あらわして かんが
えます。

ときかた

ずから ひき算を つかえば よい
ことが わかります。

4　小さい びん □mL　　200mL

大きい びん　800mL

1　40+30=70　**こたえ**　70円

2　70+20=90　**こたえ**　90こ

3　30+45=75　**こたえ**　75円

4　9dL+1L5dL=2L4dL

　　　　　　　こたえ　2L4dL

5　48+26=74　**こたえ**　74まい

6　35+17=52　**こたえ**　52まい

7　300+200=500

　　　　　　　こたえ　500円

8　85+65=150　**こたえ**　150円

9　58cm+32cm=90cm

　　　　　　　こたえ　90cm

ときかた

ずから たし算を つかえば よい
ことが わかります。

4　おちゃ 9dL　　　　1L5dL

ジュース □L□dL

同じ たんいどうしで 計算します。
10dL=1Lです。くり上がりに 気を
つけて 計算しましょう。

24 たし算と ひき算 ⑭ 47・48ページ

1 $130-55=75$　**こたえ** 75円

2 $61cm-26cm=35cm$

　　　　　　　　　　　　こたえ 35cm

3 $85+60=145$　**こたえ** 145円

4 $37+14=51$　**こたえ** 51ページ

5 $39+32=71$　**こたえ** 71さい

6 $162-57=105$　**こたえ** 105人

7 $67+28=95$　**こたえ** 95まい

8 $80+25=105$　**こたえ** 105円

9 $150-70=80$　**こたえ** 80こ

10 $75+8=83$　**こたえ** 83こ

ポイント

もんだいを ずに あらわして，しきが
たし算か ひき算か かんがえます。

ときかた

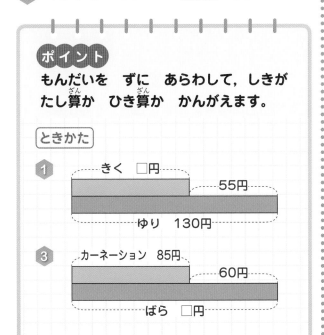

25 いろいろな もんだい ① 49・50ページ

1 $5+6=11$　**こたえ** 11こ

2 $6+12=18$　**こたえ** 18本

---

3 $25cm+18cm=43cm$

　　　　　　　　こたえ 43cm

4 $18+15=33$　**こたえ** 33まい

5 $15+17=32$　**こたえ** 32こ

6 $70+50=120$　**こたえ** 120円

7 $75+65=140$　**こたえ** 140ふくろ

8 $85+43=128$　**こたえ** 128ふくろ

9 $80+32=112$　**こたえ** 112こ

10 $7dL+9dL=16dL=1L6dL$

　　　　　　こたえ 1L6dL

ときかた

4 つかった はがきの 数を もとめ
るので，きのう つかった 数（18）
に きょう つかった 数（15）を
たします。

9 へった みかんの 数を もとめる
ので，となりの いえに あげた 数
（80）と みんなで たべた 数（32）
を たします。

26 いろいろな もんだい ② 51・52ページ

1 ①〈れいな〉$30-5=25$

　　　　　　こたえ 25まい

　　〈ゆづき〉$20-5=15$

　　　　　　こたえ 15まい

②$25-15=10$　**こたえ** 10まい

③$30-20=10$　**こたえ** 10まい

② ①〈ももか〉80－40＝40

こたえ 40円

〈けんと〉50－40＝10

こたえ 10円

②40－10＝30　こたえ 30円

③80－50＝30　こたえ 30円

③ 100－80＝20　こたえ 20円

④ 40－30＝10　こたえ 10本

⑤ 50－20＝30　こたえ 30まい

⑥ 900mL－700mL＝200mL

こたえ 200mL

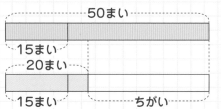

---

27 いろいろな もんだい ③ 53・54ページ

① 10＋2＝12，12＋3＝15

こたえ 15わ

② 17＋7＝24，24＋6＝30

こたえ 30こ

③ 23－7＝16，16－4＝12

こたえ 12人

④ 100－24＝76，76－13＝63

こたえ 63まい

⑤ 20－6＝14，14＋4＝18

こたえ 18人

⑥ 36－6＝30，30＋4＝34

こたえ 34人

⑦ 15＋10＝25，25－20＝5

こたえ 5まい

⑧ 130＋40＝170，170－50＝120

こたえ 120円

1 $5+7+1=13$ こたえ 13人

2 $11+9+1=21$ こたえ 21人

3 $13+13+1=27$〔$13+1+13=27$〕
こたえ 27人

4 $5+8+1=14$〔$5+1+8=14$〕
こたえ 14

5 $7+12+1=20$〔$7+1+12=20$〕
こたえ 20本

6 $6+7+1=14$〔$6+1+7=14$〕
こたえ 14人

7 $8+4+1=13$〔$8+1+4=13$〕
こたえ 13さつ

ときかた

3 まえの 人数（13）に うしろの 人数（13）を たして，さらに，まきこさんの 1を たします。

4 左の ぼうしの 数（5）に 右の ぼうしの 数（8）を たして，さらに，そうまさんの 1を たします。

5つ　　　8つ
左 ●●●●● ● ●●●●●●●● 右
↑
そうま

1 $7+5-1=11$ こたえ 11

2 $10+18-1=27$ こたえ 27さつ

3 $8+12-1=19$ こたえ 19人

4 $11-6+1=6$ こたえ 6ばんめ

5 $25-10+1=16$ こたえ 16さつめ

6 $18-7+1=12$ こたえ 12ばんめ

7 $80-25+1=56$ こたえ 56だんめ

ときかた

1 左から 7ばんめの ぼうしと，右から 5ばんめの ぼうしは，同じ なおみさんの ぼうしなので，ぜんぶの 数を もとめる ときは，7と 5を たした 数から 1を ひきます。

4 まず，ひかりさんの はちの 右にある はちの 数（11-6）を もとめます。ひかりさんの はちの 右からの じゅんばんは，右に ある はちの 数の つぎの 数に なるので，1を たします。

11こ
左 ●●●●●●●●●●● 右
6こ ↑
ひかり

1　$7-2=5$　こたえ　5ばんめ

2　$13-5=8$　こたえ　8ばんめ

3　$12-3=9$　こたえ　9ばんめ

4　$16-5=11$　こたえ　11ばんめ

5　$15-6=9$　こたえ　9ばんめ

6　$9-2=7$　こたえ　7さつめ

7　$7-3=4$　こたえ　4さつめ

8　$9+3=12$　こたえ　12かい

9　$13+4=17$　こたえ　17だんめ

ときかた

1　ゆうたさんの　2人　うしろが　7ばんめの　たけしさんなので, たけしさんまでの　人数から　2を　ひけば, ゆうたさんが　まえから　なんばんめかを　もとめる　ことが　できます。

8　はるかさんは, きみよさんの　3かい　上に　すんで　いるので, きみよさんが　すんで　いる　かいの　数（9）に　3を　たすと, はるかさんの　すんで　いる　かいに　なります。

　　　　9かい　　　　3かい
下 ●●●●●●●●● ●●● 上
　　　　　　↑　　　↑
　　　　きみよ　はるか

1　$2×4=8$　こたえ　8こ

2　$2×8=16$　こたえ　16人

3　$3×4=12$　こたえ　12本

4　$3×5=15$　こたえ　15人

5　$2×9=18$　こたえ　18本

6　$3×7=21$　こたえ　21本

7　$2×3=6$　こたえ　6人

8　$3×2=6$　こたえ　6cm

9　$2×7=14$　こたえ　14dL

10　$3×6=18$　こたえ　18m

ときかた

1　みかんは　2こずつ　4さらぶん　あるので, みかんの　数を　もとめる　かけ算の　しきは　2×4に　なります。なぞって　かいて　みましょう。

10　3mが　6つぶん　あるので, 3に　6を　かけます。

1　$4×6=24$　こたえ　24人

2　$5×7=35$　こたえ　35こ

3　$4×5=20$　こたえ　20こ

4　$4×9=36$　こたえ　36まい

5　$5×6=30$　こたえ　30cm

6　$5×3=15$　こたえ　15本

2年生　文しょうだい

7	$5 \times 3 = 15$	こたえ 15こ
8	$4 \times 5 = 20$	こたえ 20dL
9	$5 \times 8 = 40$	こたえ 40本
10	$4 \times 3 = 12$	こたえ 12m

ポイント
ぜんぶの 数は，1つぶんの 数〇に
△つぶんを かけて，〇×△で もとめ
ます。

ときかた

1　ぜんぶの 人数を もとめるので，
しきは 4×6です。1つぶんの 数
（4）に，いくつぶん（6）を かけ
ます。

6　「5本ずつ」が「3はこぶん」あ
るので，ぜんぶの 本数を もとめる
しきは 5×3です。

10　「3ばい」は 3つぶんと いう
いみです。よこの 長さは「4m」の
「3つぶん」なので，4×3で もとめ
ます。

33　かけ算　③　　65・66ページ

1	$6 \times 4 = 24$	こたえ 24こ
2	$6 \times 3 = 18$	こたえ 18cm
3	$7 \times 5 = 35$	こたえ 35こ
4	$7 \times 4 = 28$	こたえ 28本
5	$7 \times 3 = 21$	こたえ 21日
6	$6 \times 5 = 30$	こたえ 30人

7	$6 \times 5 = 30$	こたえ 30人
8	$7 \times 6 = 42$	こたえ 42こ
9	$6 \times 9 = 54$	こたえ 54本
10	$7 \times 8 = 56$	こたえ 56cm

ときかた

1　もとめるのは おかしの 数です。
6こずつの 4はこぶんて，しきは
6×4です。

2　6cmの 3つぶんなので，6×3で
もとめます。

10　ぜんたいの あつさは 7cmの
8だんぶんなので，しきは 7×8です。

34　かけ算　④　　67・68ページ

1	$8 \times 5 = 40$	こたえ 40こ
2	$9 \times 7 = 63$	こたえ 63人
3	$8 \times 3 = 24$	こたえ 24本
4	$8 \times 6 = 48$	こたえ 48m
5	$9 \times 4 = 36$	こたえ 36cm
6	$8 \times 7 = 56$	こたえ 56cm
7	$9 \times 5 = 45$	こたえ 45円
8	$8 \times 4 = 32$	こたえ 32人
9	$8 \times 9 = 72$	こたえ 72人
10	$9 \times 3 = 27$	こたえ 27人

1 ぜんぶの チョコレートの 数は，ひとりぶんの 数（8）に 人数ぶん（5）を かけて もとめます。しきは 8×5です。

5 四角形の まわりの 長さは，竹の ぼう 4本ぶんです。竹の ぼうの 長さは 9cmなので，しきは 9×4に なります。

7 もとめるのは ぜんぶの だい金です。9円の 5まいぶんなので，しきは 9×5に なります。

5まい

9円	9円	9円	9円	9円

---

35 かけ算 ⑤　69・70ページ

1	6×6＝36	こたえ	36人
2	8×4＝32	こたえ	32こ
3	6×7＝42	こたえ	42本
4	3×8＝24	こたえ	24dL
5	6×3＝18	こたえ	18こ
6	4×5＝20	こたえ	20まい
7	7×8＝56	こたえ	56cm
8	4×9＝36	こたえ	36人
9	3×7＝21	こたえ	21m
10	5×9＝45	こたえ	45本

---

1 くみの 人数は 6人ずつの 6つぶんなので，6×6で もとめます。

6 ずの もようは 三角の いろいた 4まいで できて います。この もようを 5つ つくるのに ひつような いろいたの 数は，4まいの 5つぶんなので，4×5で もとめます。

---

36 かけ算 ⑥　71・72ページ

1 ①5×6＝30　こたえ 30円
②30＋50＝80　こたえ 80円

2 8×7＝56, 56＋4＝60
こたえ 60まい

3 9×6＝54, 54＋30＝84
こたえ 84円

4 5×6＝30, 70＋30＝100
こたえ 100円

5 9×2＝18, 18＋24＝42
こたえ 42人

6 2×9＝18, 18＋5＝23
こたえ 23こ

7 9×5＝45, 45＋6＝51
こたえ 51こ

8 7×2＝14, 14＋3＝17
こたえ 17日

⑨ $5 \times 7 = 35$, $35 + 3 = 38$

こたえ 38人

ポイント

かけ算と たし算を つかって こたえ
を もとめる もんだいです。

ときかた

③ がようしの だい金と のりの だ
い金を たします。まず，がようしの
だい金を かけ算で もとめます。

⑥ くばった みかんの 数は 2こず
つの 9人ぶんなので，しきは
2×9です。この 数に あまりの
みかんの 数を たします。

⑨ もとめるのは 子ども ぜんぶの
数です。長いすに すわって いる
子どもの 数（5×7）に，すわって
いない 子どもの 数を たして も
とめます。

37　かけ算 ⑦　73・74ページ

① ①$6 \times 5 = 30$　こたえ 30まい
　②$30 - 8 = 22$　こたえ 22まい

② $7 \times 4 = 28$, $28 - 8 = 20$

こたえ 20こ

③ $8 \times 7 = 56$, $80 - 56 = 24$

こたえ 24円

④ $5 \times 7 = 35$, $50 - 35 = 15$

こたえ 15円

⑤ $4 \times 9 = 36$, $60 - 36 = 24$

こたえ 24こ

⑥ $6 \times 5 = 30$, $50 - 30 = 20$

こたえ 20L

⑦ ①$5 - 3 = 2$　こたえ 2こ
　②$2 \times 7 = 14$　こたえ 14こ

⑧ $6 - 4 = 2$, $2 \times 5 = 10$

こたえ 10こ

ポイント

かけ算と ひき算を つかって こたえ
を もとめる もんだいです。

ときかた

② ぜんぶの みかんの 数から たべ
た みかんの 数を ひきます。まず，
ぜんぶの みかんの 数を かけ算で
もとめます。

③ はじめに シールの だい金を も
とめます。シールの だい金は 8円
の 7まいぶんなので，しきは
8×7に なります。

⑧ おはじきを ひとりに 6こずつ
くばると，4こずつ くばるより
（6-4）こずつ たりないです。

38　かけ算 ⑧　75・76ページ

① $2 \times 7 = 14$　こたえ 14dL
② $4 \times 8 = 32$　こたえ 32人
③ $9 \times 7 = 63$　こたえ 63こ
④ $8 \times 5 = 40$　こたえ 40cm

⑤ $2 \times 9 = 18$ 　こたえ 18点

⑥ $4 \times 6 = 24$ 　こたえ 24m

⑦ $3 \times 7 = 21$, $21 + 4 = 25$
　　　　　　　こたえ 25こ

⑧ $5 \times 8 = 40$, $40 + 40 = 80$
　　　　　　　こたえ 80円

⑨ $7 \times 8 = 56$, $65 - 56 = 9$
　　　　　　　こたえ 9こ

⑩ $5 - 3 = 2$, $2 \times 5 = 10$
　　　　　　　こたえ 10こ

ときかた

① ぜんぶの ジュースの かさは,
1つぶんの かさ（2）に いくつぶ
ん（7）を かけて もとめます。

③ もとめるのは ぜんぶの いちごの
数です。9こずつの 7まいぶんなの
で, しきは 9×7に なります。

⑦ くばった おかしの 数に のこり
の おかしの 数を たします。まず,
くばった おかしの 数を かけ算で
もとめます。

⑨ はじめに あった どんぐりの 数
から あげた どんぐりの 数を ひ
きます。あげた どんぐりの 数は
7こずつの 8人ぶんなので, しきは
7×8に なります。

---

39 かけ算 ⑨ 77・78ページ

① ①3　②$3 \times 7 = 21$　③21こ

② ①4　②40, 44, 48
　③$4 \times 11 = 44$　④44こ

③ ①20, 22, 24
　②$2 \times 9 = 18$　こたえ 18こ
　③$2 \times 10 = 20$　こたえ 20こ
　④$2 \times 12 = 24$　こたえ 24こ

④ $6 \times 12 = 72$　こたえ 72人

⑤ $8 \times 12 = 96$　こたえ 96こ

ポイント

かける数が 9より 大きくなる かけ
算の もんだいです。かけ算では, かけ
る数が 1ふえると, こたえが かけら
れる数だけ ふえます。

ときかた

② ひょうに 入る 数は 4ずつ ふ
えて いるので, 4×11の こたえ
は, 4×9の こたえに 4を 2かい
たして もとめます。

④ もとめるのは ぜんぶの 人数です。
6人ずつの 12こぶんなので, しき
は 6×12に なります。
かける数が 1ふえると, こたえが
6ふえるので, 6×9の こたえに
6を 3かい たして もとめます。

2年生　文しょうだい

102

1 ① 5×4＝20　 きごう ㋐

② 2×5＝10　 きごう ㋒

③ 7×4＝28　 きごう ㋑

2 ① 2　② 12×2＝24

③ 24本

3 ① 12×4＝48　② 48本

4 11×7＝77　 こたえ 77人

5 12×3＝36　 こたえ 36人

ポイント

かけ算は，かけられる数と　かける数を
入れかえても　こたえが　同じに　なり
ます。

ときかた

1　かけられる数と　かける数が　入れ
かわって　いる　しきを　えらびます。
㋐…4人ずつの　5つぶんなので，し
　きは　4×5です。
㋑…4こずつの　7はこぶんなので，
　しきは　4×7です。
㋒…5こずつの　2さらぶんなので，
　しきは　5×2です。
2　12×2の　こたえと　2×12の
こたえは　同じです。2×12の　こ
たえは，2×9の　こたえに　2を
3かい　たして　もとめます。

---

1 8cm5mm＋6cm＝14cm5mm

こたえ 14cm5mm

2 1L2dL＋1L5dL＝2L7dL

こたえ 2L7dL

3 午前8時55分

4 28−（9＋5）＝14

こたえ 14人

5 150−65＝85　 こたえ 85円

6 28＋32＝60　 こたえ 60こ

7 120−80＝40　 こたえ 40円

8 25−6＋1＝20　 こたえ 20ばんめ

9 6×8＝48，48＋50＝98

こたえ 98円

10 5×8＝40，60−40＝20

こたえ 20本

4 はじめに のって いた 数から
おりた 数を ひいて もとめます。
まずは, おりた 数を もとめる し
きを かんがえます。

6 少なく なった 数を もとめるの
で, ゆいさんに あげた 数（28）と
りほさんに あげた 数（32）を
たします。

7 同じ だい金（50円）の ノートを
かったので, のこりの お金の ちが
いは, はじめに もって いた お金
の ちがいと 同じに なります。

8 まず, とおるさんの うしろに な
らんで いる 数（25−6）を もと
めます。とおるさんの うしろからの
じゅんばんは, うしろに ならんで
いる 数の つぎの 数に なるので,
1を たします。

```
              25人
まえ ●●●●●●◐‥‥‥‥‥‥‥‥ うしろ
         6人  ↑
            とおる
```

42 しんだん テスト ② 83・84ページ

1 2 m80cm−65cm＝2 m15cm

こたえ 2 m15cm

2 800mL−300mL＝500mL

こたえ 500mL

3 午後4時10分

4 40−（8＋7）＝25 こたえ 25こ

5 122−65＝57 こたえ 57こ

6 80＋90＝170 こたえ 170円

7 200＋80＝280,
280−120＝160 こたえ 160円

8 5＋8＋1＝14〔5＋1＋8＝14〕
こたえ 14こ

9 6×8＝48, 48＋4＝52
こたえ 52こ

10 1000−（200＋100）＝700
こたえ 700円

4 はじめに あった 数から きのう
と きょうで たべた 数を ひいて
もとめます。まずは, たべた 数を
もとめる しきを かんがえます。

5 ずから ひき算を つかえば よい
ことが わかります。

```
 きのう 65こ   きょう □こ
┌──────────┬──────────┐
│          │          │
└──────────┴──────────┘
    ぜんぶで 122こ
```

8 左の 数（5）に 右の 数（8）を
たして, さらに, 赤い おはじきの
1を たします。